Merci pour ce moment

Merci pour ce moment
se prolonge sur le site www.arenes.fr

Coordination éditoriale et révision du texte :
Aleth Le Bouille, Maude Sapin
Mise en pages : Chloé Laforest

Éditions des Arènes
27, rue Jacob, 75006 Paris
Tél. : 01 42 17 47 80
arenes@arenes.fr

Valérie
Trierweiler

Merci pour ce moment

les arènes

À vous trois,
À mes trois,
À eux trois.

« Il va falloir ouvrir les malles », m'avait conseillé Philippe Labro, après l'élection de François Hollande. L'écrivain, homme de médias, est une personne pour laquelle j'ai un immense respect, mais je n'ai pas su lui obéir. Je n'arrivais pas à me résoudre à montrer qui j'étais. Il n'était pas question de dévoiler des éléments sur ma vie, ma famille ou mon histoire avec le Président. J'ai fait l'inverse, j'ai tout verrouillé, tout cadenassé.

Les journalistes devaient pourtant écrire et parler. Souvent par ignorance, parfois aussi par goût du scandale, ils ont commencé à faire le portrait d'une femme qui me ressemblait si peu. Plus d'une vingtaine de livres, des dizaines de unes de magazines, des milliers d'articles ont paru. Autant de miroirs déformants, décalés, construits avec des supputations et des on-dit, quand il ne s'agissait pas de pures affabulations. Cette femme avait mon nom, mon visage et pourtant je ne l'ai pas reconnue. J'ai eu le sentiment que ce n'était pas simplement ma vie privée que l'on me volait, mais la personne que j'étais.

Je croyais pouvoir résister à tout, tellement j'étais barricadée. Mais plus les assauts étaient violents, plus je me fermais. Les Français ont vu mon visage se figer et parfois se crisper. Ils n'ont pas compris. À un moment je n'osais même plus affronter la rue, ni le regard des passants.

Et puis en quelques heures de janvier 2014, ma vie a été dévastée et mon avenir a volé en éclats. Je me suis retrouvée seule, étourdie, secouée de chagrin. Il m'est apparu comme une évidence que la seule manière de reprendre le contrôle de ma vie était de la raconter. J'ai souffert de ne pas avoir été comprise, d'avoir été trop salie.

J'ai donc décidé de briser ces digues que j'avais construites, et de prendre la plume pour raconter mon histoire, la vraie. Alors que je n'ai cessé de combattre pour protéger ma vie privée, il me fallait en livrer une partie, donner quelques clés sans lesquelles rien n'est compréhensible. Dans cette histoire folle, tout se tient. Et j'ai trop besoin de vérité, pour surmonter cette épreuve et aller de l'avant. Je le dois à mes enfants, à ma famille, aux miens. Écrire est devenu vital. Pendant des mois, la nuit et le jour, dans le silence, j'ai « ouvert les malles »…

«Le silence de l'être aimé
est un crime tranquille.»
Tahar Ben Jelloun

Le premier message me parvient le mercredi matin. Une amie journaliste m'alerte : « *Closer* sortirait vendredi en une des photos de François et de Gayet. » Je réponds laconiquement, à peine contrariée. Cette rumeur m'empoisonne la vie depuis des mois. Elle va, vient, revient et je n'arrive pas à y croire. Je transfère ce message à François, sans commentaire. Il me répond aussitôt :

– Qui te dit ça ?

– Ce n'est pas la question, mais de savoir si tu as quelque chose à te reprocher ou non.

– Non, rien.

Me voilà rassurée.

Au fil de la journée, la rumeur continue cependant d'enfler. François et moi parlons l'après-midi et dînons ensemble sans aborder le sujet. Cette rumeur a déjà été l'objet de disputes entre nous, inutile d'en rajouter. Le

lendemain matin, je reçois un nouveau texto d'un autre ami journaliste : « Salut Val. La rumeur Gayet repart, elle serait en une de *Closer* demain, mais tu dois déjà être au courant. » Je transfère à nouveau le message à François. Cette fois-ci, pas de réponse. Il est en déplacement près de Paris, à Creil, auprès des armées.
Je demande à un de mes vieux copains journalistes, qui a gardé des contacts au sein de la presse people, de sortir ses antennes. Les coups de fil en provenance des rédactions se multiplient à l'Élysée. Tous les conseillers en communication de la Présidence sont pressés de questions par les journalistes sur cette couverture hypothétique.

La matinée se passe en échanges avec des proches. Il est prévu que je rejoigne l'équipe de la crèche de l'Élysée autour d'un repas, préparé par le cuisinier des petits. Nous avons initié ce rituel l'année passée. Une douzaine de femmes s'occupent des enfants du personnel et des conseillers de la Présidence. Un mois plus tôt, nous avons fêté Noël ensemble, avec les parents de la crèche. François et moi avons distribué les cadeaux, lui était parti vite, comme à chaque fois, j'étais restée un long moment à discuter avec les uns et les autres. Heureuse dans ce havre de paix.

Ce déjeuner me réjouit, mais je me sens déjà oppressée, comme à l'approche d'un danger. La directrice de la crèche nous attend à la porte, de l'autre côté de la rue de l'Élysée. Patrice Biancone, un ancien confrère de RFI devenu mon fidèle chef de cabinet, m'accompagne. En arrivant, je retire de ma poche mes deux téléphones portables : l'un pour le travail et la vie publique ; l'autre pour François, mes enfants, ma famille et mes amis proches. La table a été dressée comme pour un jour de fête, les visages sont joyeux. Je masque mon malaise et glisse mon téléphone privé près de mon assiette. « Fred », le cuisinier, nous apporte ses plats, tandis que les assistantes maternelles alternent autour de la table, afin de se relayer auprès des petits.

En 2015, la crèche de l'Élysée va fêter ses trente ans. Elle a accueilli près de six cents enfants, notamment ceux du Président lorsqu'il était conseiller à l'Élysée. Pour célébrer cet événement, j'ai le projet de réunir les anciens bébés devenus grands. Journaliste à *Paris-Match* depuis vingt-quatre ans, j'imagine sans peine la jolie photo que peut donner ce rassemblement dans la cour de l'Élysée. Nous voulons baptiser la crèche du nom de Danielle Mitterrand, qui l'a créée en octobre 1985. Désormais ambassadrice de la fondation France Libertés, je prends en charge cet anniversaire. Je promets de faire une note rapidement à Sylvie Hubac, la directrice de cabinet de François Hollande, pour valider le projet et obtenir un budget.

Le téléphone vibre. Mon ami journaliste est allé « à la pêche aux infos » et me confirme la sortie de *Closer* avec en une la photo de François, en bas de chez Julie Gayet. Mon cœur explose. J'essaie de ne rien montrer. Je tends mon téléphone à Patrice Biancone, afin qu'il lise le message. Je n'ai aucun secret pour lui : « Regarde, c'est au sujet de notre dossier. » Le ton de ma voix est le plus plat possible. Nous sommes amis depuis près de vingt ans, un regard suffit à nous comprendre. Je prends un air détaché : « Nous verrons ça tout à l'heure. »

Je m'efforce de revenir à la conversation avec les membres de la crèche, alors que les pensées s'entrechoquent dans mon esprit. Nous en sommes à l'épidémie de varicelle. Tout en hochant la tête, je préviens François par SMS de l'information de *Closer.* Ce n'est plus une rumeur, mais un fait.

– Voyons-nous à 15 heures à l'appartement, me répond-il aussitôt.

C'est l'heure de prendre congé de la directrice de la crèche. Une rue, une toute petite rue à traverser. C'est la route la plus périlleuse de toute ma vie. Bien qu'aucune voiture non autorisée ne puisse l'emprunter, j'ai le sentiment de traverser une autoroute les yeux fermés.

Je gravis rapidement l'escalier qui mène à l'appartement privé. François est déjà dans la chambre, dont les

hautes fenêtres donnent sur les arbres centenaires du parc. Nous nous asseyons sur le lit. Chacun du côté où nous avons l'habitude de dormir. Je ne peux prononcer qu'un seul mot :
– Alors ?
– Alors, c'est vrai, répond-il.
– C'est vrai quoi ? Tu couches avec cette fille ?
– Oui, avoue-t-il en s'allongeant à demi, appuyé sur son avant-bras.
Nous sommes assez près l'un de l'autre sur ce grand lit. Je n'arrive pas à accrocher son regard, qui se dérobe. Les questions se bousculent :
– Comment c'est arrivé ? Pourquoi ? Depuis quand ?
– Un mois, prétend-il.

Je reste calme, pas d'énervement, pas de cris. Encore moins de vaisselle cassée comme la rumeur le dira ensuite, m'attribuant des millions d'euros de dégâts imaginaires. Je ne réalise pas encore le séisme qui s'annonce. Peut-il laisser entendre qu'il est seulement allé dîner chez elle ? Je le lui suggère. Impossible, il sait que la photo a été prise au lendemain d'une nuit passée rue du Cirque. Pourquoi pas un scénario à la Clinton ? Des excuses publiques, un engagement à ne plus la revoir. Nous pouvons repartir sur d'autres bases, je ne suis pas prête à le perdre.

Ses mensonges remontent à la surface, la vérité s'impose peu à peu. Il admet que la liaison est plus ancienne. D'un mois, nous passons à trois, puis six, neuf et enfin un an.
– Nous n'y arriverons pas, tu ne pourras jamais me pardonner, me dit-il.

Puis il rejoint son bureau pour un rendez-vous. Je suis incapable d'honorer le mien, je demande à Patrice Biancone de recevoir mon visiteur à ma place. Je reste cloîtrée tout l'après-midi dans la chambre. J'essaie d'imaginer ce qu'il va se passer, rivée à mon téléphone portable, guettant sur Twitter les prémices du scoop annoncé. Je tente d'en savoir plus sur la tonalité du « reportage ». J'échange par SMS avec mes plus proches amis, je préviens chacun de mes enfants et ma mère de ce qui va sortir. Je ne veux pas qu'ils apprennent ce scandale par la presse. Ils doivent se préparer.

François revient pour le dîner. Nous nous retrouvons dans la chambre. Il semble plus abattu que moi. Je le surprends à genoux sur le lit. Il se prend la tête entre les mains. Il est dans un état de sidération :
– Comment allons-nous faire ?
Il utilise furtivement le « nous » dans une histoire où je n'ai plus guère ma place. C'est la dernière fois, bientôt seul le « je » comptera. Puis nous tentons de dîner dans le salon, sur la table basse, comme nous le faisons lorsque nous

cherchons un peu plus d'intimité ou quand nous voulons abréger les repas.

Je ne peux rien avaler. J'essaie d'en savoir plus. Je passe en revue les conséquences politiques. Où est le Président exemplaire ? Un président ne mène pas deux guerres tout en s'évadant dès qu'il le peut pour rejoindre une actrice dans la rue d'à côté. Un président ne se conduit pas comme ça quand les usines ferment, que le chômage augmente et que sa cote de popularité est au plus bas. À cet instant-là, je me sens davantage atteinte par le désastre politique que par notre faillite personnelle. Sans doute ai-je encore l'espoir de sauver notre couple. François me demande d'arrêter cette litanie de conséquences désastreuses ; il sait tout cela. Il avale quelques bouchées et retourne dans son bureau.

Me voici à nouveau seule avec mes tourments, alors qu'il a convoqué une réunion dont j'ignore tout. « On » va parler de mon sort, sans que je sois tenue au courant ni de qui ni de quoi. À 22 h 30, il revient. Il ne répond pas à mes questions. Il paraît perdu, déboussolé. Je décide d'aller voir Pierre-René Lemas, le secrétaire général de l'Élysée, que je préviens par téléphone. François me demande ce que je lui veux.
– Je ne sais pas, j'ai besoin de voir quelqu'un.

À mon tour d'emprunter ce petit couloir quasi secret qui relie l'appartement privé et l'étage présidentiel. À mon arrivée, Pierre-René ouvre grand ses bras. Je m'y réfugie. Pour la première fois, je m'effondre en larmes et c'est contre son épaule. Il est comme moi, ne comprend pas comment François a pu se lancer dans pareille histoire. Contrairement à beaucoup d'autres conseillers, Pierre-René a toujours été bienveillant. Depuis presque deux ans, il a souvent subi les accès de mauvaise humeur de François dans la journée. Le soir, c'était à mon tour de servir de paratonnerre. Nous nous soutenions l'un l'autre. Nous échangeons quelques mots. Je lui explique que je suis prête à pardonner. J'apprendrai ensuite qu'un communiqué de rupture a déjà été évoqué lors de cette première réunion. Mon sort est scellé, mais je ne le sais pas encore.

Retour à la chambre. Une longue nuit quasi blanche commence. Avec toujours les mêmes questions qui tournent en boucle. François avale un somnifère pour échapper à cet enfer et dort quelques heures à l'autre bout du lit. À peine une heure de sommeil et je me lève vers 5 heures pour regarder les chaînes d'info dans le salon. Je grignote les restes froids du dîner, laissés sur la table basse, et enchaîne sur l'écoute des radios. L'« information » est le premier titre des matinales. Les événements deviennent subitement concrets. La veille encore tout me semblait irréel.

François se réveille. Je sens que je ne vais pas y arriver. Je craque, je ne peux pas entendre ça, je me précipite dans la salle de bains. Je saisis le petit sac en plastique, caché dans un tiroir au milieu de mes produits de beauté. Il contient des somnifères, plusieurs sortes, sous forme liquide ou en pilules. François m'a suivie dans la salle de bains. Il tente de m'arracher le sac. Je cours dans la chambre. Il attrape le sac qui se déchire. Des pilules s'éparpillent sur le lit et le sol. Je parviens à en récupérer quelques-unes. J'avale ce que je peux. Je veux dormir, je ne veux pas vivre les heures qui vont arriver. Je sens la bourrasque qui va s'abattre sur moi et je n'ai pas la force d'y résister. Je veux fuir d'une façon ou d'une autre. Je perds connaissance. Je ne pouvais pas espérer mieux.

Je n'ai aucune idée du temps pendant lequel j'ai dormi. Sommes-nous le jour ? la nuit ? Que s'est-il passé ? Je sens qu'on me réveille. J'apprendrai ensuite que nous sommes en fin de matinée. Au-dessus de moi, comme à travers une nappe de brouillard, j'aperçois le visage de deux de mes meilleurs amis, Brigitte et François. Brigitte m'explique que je peux être hospitalisée, qu'elle a préparé ma valise. Dans la pièce d'à côté, deux médecins attendent. Olivier Lyon-Caen, le conseiller santé à l'Élysée, a pris les choses en main et appelé le professeur Jouvent, qui dirige le service de psychiatrie de la Pitié-Salpêtrière. L'un et l'autre me demandent si je suis d'accord pour être hospitalisée. Que faire d'autre ? J'ai besoin qu'on me protège de cet ouragan même si, à cet instant, je sais à peine qui je suis et ce qu'il se passe. Je n'y arriverai pas seule.

Je demande à voir François avant de partir, l'un des médecins s'y oppose. Je trouve la force de dire que je ne partirai pas sinon... On va le chercher. Lorsqu'il apparaît, je reçois un nouveau choc. Mes jambes se dérobent, je m'écroule. Le voir me renvoie à sa trahison. C'est encore plus violent que la veille. Tout s'accélère. La décision de m'emmener est prise aussitôt.

Je suis incapable de tenir debout. Les deux officiers de sécurité se placent chacun d'un côté, m'empoignent sous les bras et me soutiennent autant qu'ils le peuvent. L'escalier paraît interminable. Brigitte suit avec mon sac, un joli sac que l'équipe qui travaille avec moi à l'Élysée m'a offert pour les voyages officiels à l'occasion de mon anniversaire. Mais nous sommes loin de l'apparat des réceptions. La première dame ressemble à une poupée de chiffon disloquée, incapable de se tenir debout, ni de marcher droit. Brigitte m'accompagne en voiture. Je reste silencieuse tout au long du chemin. Impossible de parler.

Je suis prise en charge dès mon arrivée et installée en un rien de temps dans un lit d'hôpital. Mais quel cauchemar m'a donc conduite là, perfusée et revêtue d'une chemise de nuit de l'Assistance publique ? Plongée dans un sommeil profond. Combien de temps : un jour, deux jours ? Je ne sais pas, j'ai perdu toute notion d'horloge. Mon premier réflexe au réveil est de me précipiter sur mes deux téléphones portables. Ils sont introuvables. Le médecin m'explique qu'on me les a confisqués « pour me protéger du monde extérieur ». J'exige de les récupérer, je menace de partir. Devant ma détermination, les médecins acceptent de me les rendre.

Je vois débarquer dans ma chambre, en blouse blanche, l'officier de sécurité qui m'accompagne depuis l'élection du Président. Pour plus de discrétion, il est installé sur une chaise à l'entrée de ma chambre, déguisé en infirmier. C'est lui qui veille sur les visites autorisées ou non. Elles sont rares. J'ignore encore que tout est sous contrôle. Et pas sous le mien. Cette affaire personnelle est traitée comme une affaire d'État. Je ne suis plus qu'un dossier.

Je confirme à un journaliste l'information de mon hospitalisation. Je sens qu'il se passe quelque chose du côté de l'Élysée. Mon impression se vérifie. Aussitôt la nouvelle connue, « ils » veulent me faire sortir. La première dame à l'hôpital, ce n'est pas bon pour l'image du Président. D'ailleurs pas grand-chose n'est bon pour son image dans cette histoire. Et surtout pas cette photo de lui prise rue du Cirque avec son casque sur la tête. Cette fois, je résiste et déclare au médecin que je veux rester encore quelques jours. Où aller ? Rentrer rue Cauchy, chez moi, chez nous ? Je suis tellement shootée que je ne tiens pas debout, ma tension est descendue à 6. Un jour, elle est tellement basse qu'elle ne peut même plus être mesurée.

Les médecins parlent de m'envoyer dans une clinique de repos. Mes souvenirs sont flous. Je revois les infirmières qui viennent prendre ma tension très régulièrement, y compris la nuit en me réveillant. Je ne me souviens pas de toutes les visites, sauf évidemment de celles de mes fils qui, chaque jour, m'apportent des fleurs et des chocolats, ou de ma mère aussi, venue en catastrophe de province. Et de François, mon meilleur ami, qui lui aussi vient tous les jours. Brigitte, elle, fait le lien avec l'Élysée. Elle me dira par la suite qu'elle a été sidérée par l'inhumanité qu'elle a rencontrée. Un mur.

Toujours pas de visite de François au cinquième jour, même s'il m'envoie des messages quotidiens assez laconiques. J'apprends que les médecins lui ont interdit de venir me voir. Je ne comprends pas cette décision qui, en plus d'être blessante pour moi, est désastreuse sur le plan politique. Après une discussion houleuse, le médecin cède à mes arguments et lève l'interdiction. Il autorise une visite de dix minutes. Elle dure plus d'une heure.

Là encore mes souvenirs sont vagues. La discussion est apaisée. Peut-il en être autrement avec la dose astronomique de tranquillisants qu'on m'administre ? Le professeur Jouvent vient toutes les dix minutes surveiller que tout se passe bien, puis repart. Il confiera plus tard à l'un de ses amis qu'il a eu le sentiment de voir deux amoureux se retrouver…

Mon seul souvenir est d'avoir annoncé à François que j'irai aux vœux à Tulle, prévus cette semaine-là. Évidemment, c'est non. Il tente d'abord de me parler de mon état, puis tranche que ce n'est pas politiquement possible. Bref, il ne veut pas de moi là-bas. Je me sens prête à affronter les regards, ceux des curieux comme ceux des malfaisants.

Depuis des années, je ne rate pas ce rendez-vous. Bien avant qu'il ne soit Président, je l'accompagnais lors de ces vœux. C'était un rite entre nous et pour les habitants de Tulle. Comme celui des jours d'élections. À combien de reprises l'ai-je suivi dans la tournée des bureaux de vote ? Combien de fois nous sommes-nous retrouvés dans la cave de la mairie de Laguenne à déguster le bon vin de Roger et avaler ses tourtoux aux rillettes ?

Trois mois après ma sortie de l'hôpital, le 24 mars, le jour du premier tour des municipales de 2014, je me réveillerai en pleurs. Ne pas être avec lui ce jour-là sera une douleur. Cette échéance électorale réveillera mes souvenirs, le bonheur que j'avais à vibrer avec lui lors de ces moments si particuliers, pour chaque élection comme lors des retrouvailles de l'université d'été du PS à La Rochelle.

À tous les grands rendez-vous politiques, nous étions ensemble. Depuis près de vingt ans, d'abord comme journaliste puis comme sa compagne. Tous les moments forts de sa vie publique, nous les avons partagés. Nous les avons vécus intensément. Et chaque année, nous étions de plus en plus proches, lui et moi, jusqu'au jour où tout a basculé, où notre histoire a commencé.

Mais c'est terminé. Il ne veut plus de moi là-bas. J'insiste :

– Je prendrai ma voiture et j'irai.

Combien de fois ai-je fait cette route, seule au volant, de jour comme de nuit ? Capable de conduire cinq heures durant pour un moment volé d'intimité, avant de reprendre l'A20 dans le sens inverse. Des moments d'ivresse comme seul l'amour fou peut en produire.

Le lendemain, écrasée de fatigue, je ne comprends pas ce qu'il se passe. Le surlendemain, le jour des vœux à

Tulle, c'est pire. Incapable de me lever. Dès que je tente de poser un pied hors du lit, je m'écroule. Valérie, l'épouse de Michel Sapin, doit venir déjeuner avec moi. Un sandwich pour elle et le sempiternel plateau de l'hôpital pour moi. Je parviens à peine à tenir ma fourchette, encore moins une conversation. Je lutte pour ne pas m'endormir et profiter de sa présence. En vain. Je lâche prise. Elle me laisse me reposer.

Ma tension est au plus bas. Je n'en comprendrai la raison que plus tard. Les doses de tranquillisants ont été surmultipliées pour m'empêcher d'aller à Tulle. Mes veines n'ont pas supporté la surdose…

Le médecin craint de me voir prendre le volant. « Vous n'arriverez même pas à marcher jusqu'au bout du couloir ! » me répète-t-il. Je me dispute à plusieurs reprises avec lui. À chaque fois, nous parvenons à négocier à coup d'expresso. Il est le seul à pouvoir faire du vrai bon café et me permettre d'avoir ma dose quotidienne, moyennant quelques concessions de ma part.

Au fond, je l'apprécie, cet ours-là. J'aime sa franchise et je sens qu'il n'est pas totalement à l'aise dans cette histoire. Il me dira plus tard s'être rendu à l'Élysée exposer mon état au Président. J'ignore jusqu'où est allée la conversation et si c'est à ce moment-là qu'ils ont décidé de l'opération « anti-Tulle ».

Je n'ai envie de rien, le temps passe sans que je m'en rende compte. Les infirmières qui me soutiennent dans ma détresse tentent de me secouer. Tout me coûte : me lever, prendre une douche ou me coiffer. Elles me bousculent : « Ne vous laissez pas aller ! » Elles m'avaient toujours vue en première dame attentive à son apparence, elles ont face à elles une loque qui ne change même pas de pyjama. Elles me font comprendre qu'elles sont avec moi, pas seulement dans l'exercice de leur métier.

Le jour de la sortie arrive. Ma convalescence va se poursuivre au pavillon de la Lanterne, l'ancienne résidence de Matignon, mise à la disposition de la présidence de la République depuis 2007. C'est un lieu tranquille, le long du parc de Versailles.

L'opération de sortie a été pensée dans le moindre détail pour éviter les photos de paparazzi. C'est comme une exfiltration. J'ai du mal à mettre un pied devant l'autre. Je marche au bras d'un officier de sécurité, en état de flottaison. Évidemment, nous évitons la porte principale. Le dispositif est renforcé. La voiture que nous utilisons habituellement est transformée en leurre et envoyée en éclaireuse.

L'opération fonctionne. Des équipes de télévision et des photographes sont postés devant la Lanterne, mais ils ne captent que l'image fugitive d'une voiture aux vitres teintées s'engageant dans l'allée, rien de plus. Ils n'auront pas même mon ombre. C'est le mot : je ne suis qu'une ombre.

Je retrouve avec plaisir cet endroit que j'aime, où j'ai sans doute passé les meilleurs moments de ma vie auprès du Président, avec ses hautes fenêtres et ses pièces baignées de lumière, une maison sereine, protégée par des arbres immenses et centenaires. Je suis accueillie par le couple de gardiens, d'anges gardiens devrais-je dire. Ils gèrent le domaine depuis vingt-cinq ans. Ils ont vu bien des Premiers ministres, jusqu'à ce que Nicolas Sarkozy récupère ce coin de paradis pour la présidence. Ils ont assisté à bien des réunions secrètes, des fêtes de famille et sans doute à quelques drames. Mais ils n'en disent rien. Ils n'ont jamais trahi personne, jamais raconté le moindre détail. J'aimais partager un café avec eux le matin, nous bavardions souvent de tout et de rien. C'était toujours de bons moments. Ils voyaient ma solitude.

Un des jeunes médecins de l'Élysée est présent vingt-quatre heures sur vingt-quatre dans la chambre d'à côté, pour surveiller ma tension et m'administrer un traitement d'anxiolytiques et de tranquillisants. Je ne peux toujours pas me lever sans étourdissements, ce qui m'oblige à me rasseoir immédiatement. Un matin, je me rattrape de justesse avant de tomber. Cela me rend prudente.

Chaque jour, un ou une amie vient me rendre visite. Ma famille également. Ils ne me racontent pas tout ce qui se passe au dehors. Ils me protègent de la meute, des spéculations délirantes et des unes tapageuses. Profitant un jour d'un rayon de soleil avec ma mère et mon fils, nous faisons un tour de jardin. Nous ne savons pas que des paparazzi sont nichés jusque dans les arbres. Ils peuvent nous photographier seulement de dos, et pourtant un de ces clichés va trouver preneur dans un magazine people. La machine médiatique est lancée. Elle dévore chaque bout de vie sans importance.

L'été précédent, alors que j'étais souvent seule dans le refuge de la Lanterne pendant que François travaillait à Paris, j'avais pris l'habitude de longues sorties à vélo. Avec mes officiers de sécurité, nous étions devenus des presque-champions. Chaque jour, nous pédalions trente-sept kilomètres à travers le parc de Versailles et sa forêt. Nous enregistrions notre temps, essayant de progresser, de gagner quelques minutes pour augmenter notre rapport kilomètres/heure. Rien ne nous arrêtait, pas même les jours de pluie. C'était un bonheur dont je ne me lassais pas.

La semaine du 15 août, François m'avait rejointe. Il avait fini par s'octroyer quelques jours. Enfin, pas vraiment. Il levait à peine le nez de ses dossiers et refusait de sortir de l'enceinte de la Lanterne. Les balades se limitaient à deux ou trois tours de jardin. Quant à moi, je ne renonçais pas à mon périple à vélo. Les paparazzi étaient partout. À chaque coin de parc. Une photo de moi sur mon vélo avait d'ailleurs été publiée dans *Le Parisien* deux ou trois jours plus tôt.

Un matin, alors que nous abordions un virage autour de la Grande Croix du parc, je repère deux photographes et me dirige vers eux, sans prévenir mes deux policiers d'escorte. Ils sont là pour la journée, tout est prévu : couverture et glacière. L'un des paparazzis prend peur, lève les mains en l'air comme si j'avais été en possession d'une arme :
– C'est pas nous, c'est pas nous, la photo du *Parisien,* on vous jure, c'est pas nous !
Leur frayeur m'amuse.
– Je ne viens pas pour ça, mais pour vous dire que vous perdez votre temps. Le Président ne sortira pas, vous n'en aurez aucun cliché. Vous pourrez me photographier sur mon vélo chaque jour, mais cela n'a aucun intérêt. Lui, vous ne l'aurez pas. Vous feriez mieux de rester avec vos familles.

Évidemment, ils ne m'ont pas crue et évidemment ils ont perdu leur temps à me « shooter » chaque matin pédalant avec ou sans les mains… Mais le souvenir de la panique de ce photographe me fait encore sourire à chaque fois que j'y repense, comme au rire de mon garde du corps : « C'est sûr, vous n'avez pas besoin de nous ! »

En ce mois de janvier, je suis loin de ces souvenirs heureux à leur manière. Je tente un peu de vélo d'appartement, mais je dois renoncer aussitôt, je n'en ai pas la force. Allongée sur le lit, les journées s'écoulent à feuilleter sans conviction de vieux magazines, surtout pas ceux du jour, à écouter de la musique et à dormir. Je reçois chaque jour les lettres d'anonymes qui arrivent par dizaines à l'Élysée et que l'on me fait porter. Certaines m'émeuvent aux larmes. Beaucoup de femmes, mais pas seulement, veulent m'exprimer leur soutien. Je mets de côté celles auxquelles je me promets de répondre et parviens à écrire quelques lettres de remerciements.

Une semaine passe ainsi, sans notion du temps qui s'écoule. Des heures suspendues, anesthésiées par les traitements. Je découvre les innombrables messages reçus par mail ou texto pendant le séjour à l'hôpital. Ceux d'amis que je n'ai pas vus depuis longtemps, de la famille plus éloignée, des relations de travail, des écrivains, des personnes qui ont trouvé mon numéro sans que je les connaisse. Mais aussi des femmes que j'ai aidées dans leur deuil ou leurs difficultés et, qui, à leur tour, veulent m'apporter du réconfort. Je suis particulièrement touchée du message d'Eva Sandler qui, elle, a perdu son mari et ses deux petits garçons au cours de la tuerie dans l'école de Toulouse. Je n'ai pas le droit de me plaindre : je traverse une épreuve, pas un drame.

De l'Élysée, je ne reçois que trois messages de conseillers. Tous les autres sont aux abris. Je suis déjà traitée comme une paria. Au gouvernement, seulement quatre ministres osent m'adresser un mot d'amitié : Aurélie Filippetti, Yamina Benguigui, Benoît Hamon et Pascal Canfin.

Ceux que je connais le mieux sont aux abonnés absents. Leur silence sera plus criant encore lorsque je lirai les messages venus de l'autre camp, de Claude Chirac, de Carla Bruni-Sarkozy, de Cécilia Attias, de Jean-Luc Mélenchon, d'Alain Delon et de tant d'autres. En politique, il ne vaut mieux pas être du côté des perdants.

En moins d'une semaine, j'ai non seulement subi une déflagration dans ma vie, mais je vérifie l'étendue du cynisme du petit monde des amis politiques, des conseillers et des courtisans. Manuel Valls et Pierre Moscovici, dont on me disait si proche, n'ont pas dû se souvenir de mon numéro de téléphone.

François m'a annoncé sa visite le samedi suivant, « pour parler ». « Un peu avant le dîner », a-t-il précisé. Lorsqu'il arrive, nous nous installons dans le plus grand salon, celui qu'on appelle le salon de musique, là où trône un piano à queue. Bien que ce ne soit plus l'instrument d'origine, c'est là que l'épouse de Malraux avait l'habitude de jouer quand le ministre de la Culture de Charles de Gaulle habitait ce lieu. Le Général avait été bouleversé par le drame qui avait frappé Malraux avec la perte accidentelle de ses deux enfants. Il lui avait accordé le privilège d'y vivre retiré avec son épouse et le fils de celle-ci, Alain. Chaque fin de semaine, comme pour s'étourdir, Malraux s'attelait à la décoration de la Lanterne. Il s'était installé une bibliothèque dans les anciennes écuries.

François et moi nous retrouvons l'un en face de l'autre, chacun assis sur un canapé différent. Ils ont beau être fleuris, l'ambiance est pesante, la distance est déjà palpable. C'est alors qu'il me parle de séparation. Je ne comprends pas la logique des choses. C'est lui qui est pris sur le fait et c'est moi qui paie les pots cassés, mais c'est ainsi. Sa décision ne semble pas encore irrévocable, mais je n'ai pas la force d'argumenter. Il tente de se montrer le moins dur possible mais la sentence est terrible. Je ne réalise pas vraiment, je suis comme anesthésiée.

Nous rejoignons la salle à manger pour le dîner. Avec la présence des maîtres d'hôtel, la conversation devient presque banale. Nous allons nous coucher, chacun dans une chambre différente. Cela ne nous était jamais arrivé. Cette fois, il veut marquer la fin. Ma nuit est agitée de cauchemars et d'hallucinations, sous l'effet des médicaments. Je me réveille en sursaut, convaincue que quelqu'un est dans la pièce. Je pense à François ouvrant ses bras à une autre femme. Qui a fait le premier pas ? Que lui a-t-il dit de nous ? Que cherchait-il chez elle que je ne peux pas lui donner ? Les images me blessent, je les repousse, mais elles remontent, encore et encore. Elles m'étouffent et je m'étrangle dans mes sanglots.

Le matin, il me précise qu'il partira après le déjeuner et que deux de mes très proches amies, Constance et Valérie, veulent venir me voir. Pourquoi ne m'appellent-elles pas directement ? Je préfère être seule, pour me retrouver et affronter ce qui arrive.

François insiste. Il n'assume pas de me laisser face à mon désespoir alors qu'il s'apprête à rejoindre sa maîtresse. J'ignore que mes deux amies sont déjà à Versailles depuis le matin. Il a mis au point ce stratagème pour ne pas me laisser seule et se donner bonne conscience. Elles attendent dans un café son feu vert pour venir à la Lanterne. Il veut leur passer le relais. Elles me bombardent de messages me suppliant de les laisser venir. Je cède et je fais bien. Dès le départ de François, leur présence me réconforte.

Nous avons prévu de nous revoir, lui et moi, le jeudi suivant. Le jeudi a toujours été notre jour, celui du début de notre relation amoureuse, celui des rendez-vous entre 2005 et 2007. Et celui de la fameuse chanson de Joe Dassin, que nous avons écoutée en boucle tant de fois dans ma voiture en chantant : « Souviens-toi, c'était un jeudi/Le grand jour/ Le grand pas vers le grand amour. »

Je prends l'initiative de lui donner rendez-vous rue Cauchy, à notre domicile. Nous y serons seuls pour parler librement. Il arrive à l'heure, ce n'est pas dans ses habitudes. Il a apporté le déjeuner préparé par l'Élysée, un caisson en fer-blanc avec des assiettes garnies, qu'il suffit ensuite de glisser dans le micro-ondes.

Ses officiers de sécurité restent en bas de l'immeuble. Depuis la publication des photos de *Closer* où on les voit apporter un sachet de croissants rue du Cirque au petit matin, ils savent qu'ils n'ont pas intérêt à me croiser.

Tout cela est irréel, nous mettons la table comme un couple ordinaire, sans appétit. À la fin, comme si rien n'avait changé, il se lève et prépare les cafés avant de nous installer au salon. C'est le moment d'évoquer les questions matérielles.

Le sol s'est ouvert sous mes pas. J'ai peur de l'inconnu, de ce qui va se passer après notre séparation, y compris sur le plan financier. Je fais part à François de mes inquiétudes. Depuis le jugement de divorce avec le père de mes enfants, c'est moi qui ai la charge financière à 100 % de mes trois garçons. À l'époque, c'était le prix à payer pour ma liberté et pour le rejoindre, je n'avais pas hésité. J'avais aussi décidé de conserver le nom de Trierweiler, mon nom de plume depuis plus de quinze ans. Je voulais m'appeler comme mes enfants. Je divorçais de leur père, je ne voulais pas avoir le sentiment de me séparer d'eux.

François sait que mon salaire de *Paris-Match* ne me suffira pas pour assumer seule à la fois le loyer de notre appartement et les dépenses de mes enfants, leur logement et leurs études. Lorsque nous avions souscrit à cette location, je cumulais mes revenus de *Paris-Match* et ceux de la télévision, puisque je collaborais avec Direct8 (aujourd'hui D8) depuis la création de la chaîne en 2005.

Une fois élu Président, François a exigé que je renonce à la télévision. Avec la direction de la chaîne, nous avions pourtant évoqué le lancement d'une nouvelle émission à vocation humanitaire, compatible avec mon rôle de première dame. Une série de documentaires dans lesquels j'aurais mené des interviews de personnalités sur des thèmes d'intérêt général : l'éducation des filles dans le monde, la protection de l'eau, les réfugiés. Chaque émission devait me conduire dans deux ou trois pays.

J'étais très excitée par ce projet, bien avancé. Mais Direct8 venait d'être rachetée par Canal+, avec l'aval du CSA. Certains journalistes évoquaient déjà le conflit d'intérêts. Lors d'un beau dimanche de septembre, à la Lanterne, d'une voix très sèche, il m'a ordonné :
– Tu dois renoncer à la télé.

Le ton ne laissait aucune place à la négociation, j'ai accepté aussitôt. Il y avait déjà eu au printemps « l'affaire du tweet » et la défaite de Ségolène Royal à La Rochelle. Je ne voulais plus de polémique, plus de problème entre nous. Mais en renonçant ce jour-là, j'avais perdu les deux tiers de mes revenus et il le savait.

L'argent n'a jamais été mon moteur, mais j'ai peur du lendemain, c'est viscéral. Peur de la précarité, de ne pas avoir un toit quand je n'aurai plus l'âge de travailler. Je sais dans quel dénuement est morte l'une de mes grands-mères. J'ai toujours été indépendante. Je me souviens de ma mère, avant qu'elle ne se trouve un emploi de caissière, obligée, pour faire des courses, de « quémander » de l'argent à mon père, qui puisait alors dans sa maigre pension d'invalidité. Enfant, je vivais ces scènes comme une humiliation, une privation absolue de liberté.

Je me suis construite sur ce rejet : jamais je ne dépendrais financièrement de personne. Pas une fois dans ma vie, je n'ai demandé d'argent à quiconque. Qui plus est à un homme. Je n'ai pas oublié cette scène où ma mère s'est rendu compte dans un supermarché qu'elle avait perdu son porte-monnaie. Je revois sa panique, elle se demandait comment elle nous nourrirait les jours suivants. J'ignore quel âge je pouvais avoir à l'époque, mais son expression malheureuse est restée gravée dans ma mémoire.

Je viens d'une famille où l'on ne vit pas à découvert. Chez moi, on considère qu'on ne dépense pas l'argent que l'on n'a pas et nous continuons tous à faire attention au prix de chaque chose. J'en ai gardé des stigmates : je ne sais pas « claquer » ni « flamber ». Je repense à ce jour où je suis allée faire les soldes avec une amie, dans un centre de magasins d'usines. Alors que j'achetais des vêtements pour mes fils, les vendeuses m'ont gratifié tout d'abord d'un « Oh madame Sarkozy ! », qui m'a fait sourire. J'ai fait non non de la main. L'une des deux s'est reprise : « Ah oui vous êtes la femme de Hollande », et j'ai entendu le couple d'acheteurs, juste devant moi, glisser : « Si même les femmes de présidents viennent faire leurs courses ici, alors c'est vraiment la crise ! »

Il y eut aussi un autre jour de soldes – on ne se refait pas – au cours duquel j'achetai une paire de baskets pour l'un de mes fils. Le vendeur qui me reconnaît me demande :
– Alors comme ça, vous êtes à l'Élysée et vous travaillez en plus ?

– Monsieur, comment pourrais-je vous payer ces baskets si je ne gagnais pas ma vie ?
Il comprend et saisit ma carte bancaire avec un sourire.

Si j'avais accepté de renoncer à mon émission sur Direct8 pour François, j'ai tenu à garder mon travail à *Paris-Match*. Il m'était inconcevable de ne plus avoir de travail du tout, ni de salaire. J'étais la compagne du président de la République, j'avais un bureau à l'Élysée, comme les autres premières dames qui m'avaient précédée. C'est une fonction entièrement bénévole, à la tête d'une petite équipe de chargés de mission, dédiée aux tâches humanitaires et sociales. Au nom de quoi aurais-je dû renoncer à mon emploi ? Pourquoi aurais-je dû être la seule femme en France qui n'ait pas le droit de travailler ?

Quand notre couple est devenu public, en 2007, j'avais logiquement abandonné la rubrique politique de *Match* depuis deux ans, pour rejoindre les pages culturelles, là où la question du conflit d'intérêts ne se posait plus. En quoi le fait que j'écrive sur des romans pouvait gêner quelqu'un ?

Depuis huit ans maintenant, je ne prétends pas être une critique littéraire. J'essaie simplement de donner envie de lire aux lecteurs de *Paris-Match* et d'apporter la sensibilité d'une femme que la lecture a fait grandir. Lire m'a ouvert tous les horizons et tous les possibles.

Sans la lecture, je ne serais pas devenue celle que je

suis. J'ai aimé lire depuis l'âge où j'ai appris à déchiffrer les mots. Enfant, je passais des heures dans les bibliothèques municipales. Ma mère avait pris l'habitude de nous y laisser, ma sœur et moi, le temps de faire ses courses, parce que au milieu des livres, nous étions sages, nous étions bien. Je reconnaîtrais entre mille l'odeur de la poussière des livres qui ne sont pas sortis des rayonnages depuis des lustres. Elle est là, ma madeleine de Proust, il est là, mon parfum d'enfance.

J'avais six ans quand ma grande sœur Pascale, lorsqu'elle était chargée des « commissions », grappillait un ou deux francs pour m'acheter ces petits livres qui valaient trois fois rien. En grandissant, j'ai lu tout et bien sûr n'importe quoi. Je n'avais personne pour me conseiller. Comme beaucoup de Français, mes parents étaient abonnés au club de livres France Loisirs. Tous les trimestres un nouveau livre arrivait à la maison. Je lisais, je rêvais, j'apprenais. Depuis mes treize ans, je tiens un carnet sur lequel je note les livres que je lis. Quand je feuillette les premières pages, je me souviens de romans magnifiques comme du tout-venant, des ouvrages depuis longtemps oubliés, mais qui m'étaient tombés sous la main.

Je demandais des livres à Noël : il n'y avait pas plus beau cadeau pour moi. Ces livres-là, je ne devais pas les rendre à la bibliothèque, ils restaient à moi. Plus tard, j'ai eu le droit de veiller le vendredi soir pour regarder le dieu Pivot.

Ce « maître », j'ai pu le rencontrer une fois à l'Élysée. Il avait posté plusieurs tweets dans lesquels il imaginait avec humour des scénarios, si son livre obtenait le Goncourt, ce qui était une pure fiction car il est membre du jury. Parmi ces scénarios, j'avais noté celui-là : « Si j'ai le Goncourt, F. Hollande et V. Trierweiler seront obligés de m'inviter à déjeuner avec une bonne bouteille. » Je lui ai aussitôt envoyé un message : « Même si vous n'avez pas le Goncourt, je vous invite à déjeuner. »

Le rendez-vous fut pris et je lui ai fait la surprise d'organiser le déjeuner dans la fameuse bibliothèque, la pièce où ont été réalisées pendant si longtemps les photos officielles des Présidents, là où François Mitterrand passait du temps calé dans un fauteuil devant la cheminée. Là encore où nous dînions souvent avec François.

Pivot est tel qu'on l'imagine : passionnant, érudit et drôle. Jamais il n'éventa l'existence de ce repas non officiel. Je le fais dans ce livre et lui demande d'avance de me pardonner s'il voulait en garder le secret.

En travaillant à la rubrique culture, je reçois chaque semaine des dizaines de livres. C'est à chaque fois une émotion intacte que d'ouvrir les grandes enveloppes des éditeurs et de découvrir le livre qui s'y cache. Il y en a tant que j'ai perdu l'instinct de propriété. Je donne à la prison pour femmes de Fleury-Mérogis 95 % des livres que je reçois.

Écrire chaque semaine ou presque ma rubrique sur les livres pour *Paris-Match* est un vrai bonheur. C'était encore plus précieux du temps de l'Élysée. Je le prenais comme une victoire sur tous ceux qui me déniaient le droit de travailler, et une victoire sur moi-même. Si je n'avais pas été obligée de lire pour le journal, sans doute aurais-je été entraînée par le tourbillon de rendez-vous, de voyages, de réceptions sans ouvrir un seul roman. Quelle tristesse ! Allumer mon ordinateur, me trouver face à la page blanche, seule avec moi-même, me déconnecter du monde, me concentrer, voilà qui m'a aidée à traverser bien des épreuves.

Mais pas celle-là.

En ce jeudi si sombre où François me quitte, je serai incapable de me concentrer sur plus de deux lignes d'un livre. J'assiste impuissante à la fin de notre couple. Le Président m'assure que je n'ai pas de souci à me faire, que j'aurai sûrement des propositions professionnelles qui me permettront de repartir dans la vie.

Après avoir abordé la question financière, il évoque tous les points qui le préoccupent. Il veut que j'abandonne l'idée d'écrire un livre, une idée qui s'impose à moi depuis quelques jours et dont je lui ai parlé. Il n'est pas question de me faire renoncer à quoi que ce soit qui concerne « ma vie d'après lui ». Il insiste pour que nous annoncions « notre » séparation par un communiqué commun. Je refuse. Cette rupture, je n'en veux pas. Elle n'a rien de commun. Il me l'impose. Le ton est calme, froid. Tout est si triste.

Avant qu'il parte, j'exige de récupérer sa clé.
– Tu me vires de ta vie, tu n'es plus chez toi ici, je veux la clé. Je veux être libre de faire venir qui je veux quand je veux.
Je sais qu'il n'aime pas cette phrase. Il me trompe depuis plus d'un an mais ne peut supporter l'idée que moi je puisse vivre ma vie. Ainsi sont ces hommes-là. Il résiste.
– On te la fera porter.
– Non, je veux la récupérer maintenant.

Il appelle l'officier de sécurité qui détient la clé. Il va le voir dans le couloir et revient. François en a besoin pour descendre au sous-sol où attend la voiture, car l'immeuble est sécurisé et nul ne peut atteindre le parking sans tourner la clé dans l'ascenseur.

Qu'à cela ne tienne, je décide de les accompagner pour avoir l'objet bien en main. Nous nous retrouvons à descendre six étages, François et moi, accompagnés du porteur de croissants, ce policier immortalisé par le paparazzi rue du Cirque. Je le regarde droit dans les yeux.

– Et aujourd'hui, vous n'avez pas apporté de croissants ? C'est ainsi que vous concevez votre métier de policier ? Je ne comprends même pas que vous soyez encore là.
Il regarde ses chaussures, ne répond rien. Son regard s'embue. François ne dit pas un mot.

Je file aussitôt à la Lanterne. Il était convenu que je resterais à Versailles jusqu'au samedi, veille de mon départ pour l'Inde. Je me suis engagée auprès d'Action contre la faim depuis plusieurs mois. J'ai accepté de réduire une partie du voyage qui devait nous mener jusqu'au Madhya Pradesh, à plusieurs heures de voiture de l'aéroport sur des routes chaotiques et dangereuses, car je ne suis pas certaine de tenir le coup physiquement.

Depuis des jours, tout le monde tente de me faire renoncer à ce voyage. Le Président en tête. Il ne veut pas que je fasse ce déplacement. La question de ma santé ne le préoccupe guère. Dans son esprit, il n'y a déjà plus de première dame. En a-t-il existé une depuis le début à ses yeux ? Ce qui lui importe, c'est mon silence.

Il me reste trois jours pour me reposer à la Lanterne. Je redoute de passer la dernière soirée, celle du vendredi, seule avec mon chagrin. J'ai proposé à mes plus proches amis de venir dîner, comme pour me prouver à moi-même que la vie va continuer. Ils sont tous venus m'entourer de leur amitié. Nous passons une soirée chaleureuse, joyeuse. J'ai demandé au médecin l'autorisation de ne pas prendre mon traitement pour boire quelques verres de vin. La nuit est courte.

Le samedi, je dois retrouver François en fin d'après-midi pour la mise au point du communiqué. Trois de mes amis sont restés dormir sur place. Je vide mes affaires, rassemble mes vêtements d'été que je laissais à la Lanterne, mes livres et quelques objets personnels. Mes amis m'aident. Après un rapide plateau-repas, c'est l'heure de partir. Je vais dire au revoir au couple de gardiens, Josyane et Éric :
– Voilà, je voulais vous dire que c'était la dernière fois que nous nous voyions.
Ils croient à une plaisanterie. Ils se récrient.
La voix brisée, je leur réponds :
– Le Président et moi, nous nous séparons, ce sera annoncé ce soir.

À leur tour, ils me montrent leur émotion, me prennent dans leur bras et me couvrent de paroles réconfortantes. Je pleure avec eux. Jamais je n'oublierai ce moment, jamais. Pas plus que les adieux aux deux cuisiniers qui sont présents ce jour-là. Eux aussi pleurent. Je m'excuse auprès d'eux :
– Pardon, je ne vais pas tenir.

Je veux partir dignement, mais ces démonstrations d'affection me touchent au plus profond. Je dois garder des forces pour ce qui m'attend. Je m'engouffre dans la voiture. Les caméras de télévision sont déjà postées à l'affût. Les journalistes juchés sur leurs motos, prêts à suivre chacun de mes déplacements comme pour assister à ma mise à mort, attendent devant la grille.

Nous allons d'abord rue Cauchy, poursuivis par cette horde de photographes et de cameramen. Nous entrons directement par le sous-sol pour éviter les flashs. À nouveau, un stratagème de dissimulation a été mis au point. Pour éviter que je sois suivie jusqu'à l'Élysée, ce n'est pas une voiture leurre qui est utilisée, mais deux. Lorsque nous repartons, la meute est loin. L'une des voitures est même retournée à la Lanterne, entraînant dans son sillage une partie de la presse. J'arrive à en sourire.

Qu'ai-je ressenti en pénétrant dans le jardin de l'Élysée par la porte Marigny ? C'est par cette entrée discrète et jamais par la cour d'honneur que j'avais pris l'habitude de rejoindre le palais. Je ne me suis jamais vraiment autorisée à entrer par la cour d'honneur. Comme si, au fond de moi, je m'étais toujours sentie illégitime. J'y ai pourtant vécu vingt mois avec le Président dont je partageais officiellement la vie.

Ce samedi 25 janvier, mon cœur se serre. Cette fois, c'est la fin. En arrivant dans l'appartement privé, je commence par rassembler les tenues dont j'aurai besoin pour l'Inde, puis je préviens François par SMS que je suis là. Nous nous retrouvons, une fois de plus, dans une atmosphère lourde, assis chacun à notre place habituelle dans le salon. Il insiste encore pour le communiqué commun. Je refuse à nouveau, exposant toujours les mêmes arguments. Nous rejouons la scène.

Il me demande une fois de plus de renoncer à l'Inde :
– Tu auras tous les journalistes.
Il s'apprête à me répudier et la seule chose qui lui importe est que la presse le suive, lui et pas moi.
– Et alors ? J'en aurai peut-être plus que toi en Turquie.
C'est dérisoire, mais je cherche à le provoquer. Il s'inquiète de ce que je leur dirai.
– Je ne sais pas encore.

Il est assis, mal à l'aise, un petit papier à la main. Il me lit le communiqué de rupture qu'il a prévu de livrer à l'AFP, dix-huit mots froids et orgueilleux, chacun est comme un coup de poignard. Je m'effondre devant la dureté de sa phrase, cette manière méprisante de « faire savoir » qu'il « met fin à la vie commune qu'il partageait avec Valérie Trierweiler »…

Je me lève et pars en hurlant :
– Vas-y, balance-le ton communiqué si c'est ça que tu veux.
Il tente de me rattraper, de me prendre dans ses bras.
– On ne peut pas se quitter comme ça. Embrasse-moi.

Il me propose même que nous passions la dernière nuit ensemble… Je me dégage avec force, je pars sans me retourner, le visage inondé de larmes.

J'apprendrai plus tard qu'il aura fallu trois conseillers officiels, entre deux piles d'affaires courantes à expédier, pour rédiger ma répudiation, l'acte de décès de notre amour. Nous ne sommes pas toujours maîtres de nos sentiments. Nous sommes tombés amoureux l'un de l'autre alors que nous n'étions pas libres. Il ne s'agissait pas d'un égarement. Alors pourquoi tant d'inhumanité ? De violence ? Il a désormais les plus hautes responsabilités. S'il ne peut y avoir d'art, qu'il y ait au moins la manière.

Je dois rejoindre mes officiers de sécurité qui m'attendent à la voiture. Je pleure, comme rarement j'ai pleuré. J'essaie de me cacher derrière un arbre pour qu'ils ne me voient pas dans cet état. L'un des maîtres d'hôtel me glisse un paquet de mouchoirs. Mais c'est moi, le kleenex qui vient d'être jeté à l'instant.

Je prends sur moi, je retrouve l'équipe. J'arrive seulement à leur dire que nous retournons rue Cauchy. Personne n'ose me dire un mot. Nous venons de passer le pont Alexandre-III, quand je reçois un message de mon bourreau. Il vient d'actionner la guillotine et m'envoie un mot d'amour : « Je te demande pardon parce que je t'aime toujours. »

Cela ne fait que redoubler mes larmes. Alors pourquoi ? Est-il sincère ou est-ce encore une trace de sa lâcheté ?

Il nous faut peu de temps pour rejoindre l'appartement de la rue Cauchy. Dans l'ascenseur, Alexandre, l'officier de sécurité qui me suit, a l'air aussi désespéré que moi en me voyant dans cet état. Il s'inquiète, me demande si je vais tenir le coup.

– Oui, ça va aller.

Surtout ne pas allumer la télévision, ni la radio. Les messages commencent à affluer sur mon téléphone. Je les regarde à peine. La nouvelle se répand comme la poudre. Je n'ai pas conscience qu'elle est en train de faire le tour du monde, comme je n'ai pas vu les unes de la presse internationale après les photos du scooter puisque j'étais à l'hôpital. Je ne veux pas entendre, il faut que je me protège de cette tempête médiatique.

Ce n'est pas la première bourrasque que j'affronte, mais c'est la pire de toutes et je ne suis pas très vaillante. Je fouille parmi la collection de DVD. Je n'ai qu'une idée, me mettre au lit et emmener mon esprit ailleurs. N'importe où pourvu que cela m'éloigne de la réalité.

J'attrape le film *Elle s'appelait Sarah.* Il y a longtemps que je voulais regarder ce long-métrage de Gilles Paquet-Brenner, tiré d'un roman de Tatiana de Rosnay. L'histoire d'une journaliste américaine qui enquête sur le Vel' d'Hiv, et remonte le fil de la vie d'une petite Sarah.

Il est à peine plus de 20 heures, je suis sous ma couette sans la moindre envie de dîner. Mon ordinateur sur les genoux, je regarde ce film tragique. Je me coupe du monde et je ne sais plus pourquoi je pleure, le film ou ma vie. À la dernière image, je suis vidée, épuisée. Je mesure ce soir-là l'expression « pleurer toutes les larmes de son corps ». Comme des insectes qui se cognent à la vitre, des pensées vont et viennent dans ma tête. Comment a-t-il pu me faire ça ? Si nous nous aimons toujours, pourquoi en sommes-nous arrivés là ? Je pars le lendemain en Inde. Je me raccroche à cette perspective comme une naufragée à sa bouée.

En arriver là ?

Que s'est-il passé pour que nous nous soyons éloignés ainsi l'un de l'autre en si peu de temps ? Le pouvoir a agi comme un acide, il a miné notre amour de l'intérieur. Cette rumeur Gayet empoisonnait ma vie depuis le mois d'octobre 2012.

C'est à cette époque, cinq mois après l'élection présidentielle, que j'en entends parler pour la première fois. Je n'y crois pas une seconde, j'ai moi-même été l'objet de tant de rumeurs abjectes. Mais j'apprends qu'un dîner avec des artistes a eu lieu à l'Élysée quelques jours auparavant. C'était un samedi soir. Il a été organisé sans que je sois informée, ni même conviée. Personne ne m'en a parlé. Ni François, ni son équipe, qui est censée informer la mienne pour coordonner les agendas lorsqu'il s'agit des plages privées de son emploi du temps, ni le conseiller culture à l'origine de ce dîner.

Ce samedi-là, je suis coincée à L'Isle-Adam. C'est dans cette petite ville près de Paris que j'ai longtemps loué une maison pour être avec mes enfants une partie de la semaine, lorsque nous en partagions la garde avec mon ex-mari. Ils vivent désormais tous dans la capitale, je n'ai plus de raison de conserver cette maison. Je fais mes cartons. Mes fils me donnent un coup de main dans la journée et vont rejoindre leurs amis pour la soirée. Ce sera mon dernier week-end là-bas.

Il ne me vient pas à l'idée de demander à François de m'aider. Il est Président, il a autre chose à faire. Je fais le tri et comme à chaque déménagement, c'est l'occasion de revivre des moments de vie. Que faire de ma collection de *Paris-Match* ? Je ne peux pas tout conserver. J'en feuillette quelques-uns. L'un des numéros retient mon attention. Il date de 1992 ; Mitterrand est en une, la France est en pleine crise économique et politique. Édith Cresson est Premier ministre, mais c'est un véritable désastre. « Pendant ce temps-là, Mitterrand joue au golf, se promène sur les quais et fait les librairies », tel est le titre du journal. Ce n'est pas une attaque, mais au contraire une manière de souligner combien ce Président sait garder son sang-froid et prendre de la distance. Dieu que les choses ont changé ! Aujourd'hui, plus rien n'est permis, pas même quinze jours de vacances au fort de Brégançon après un an et demi de campagne. Autres temps. En 2012, la presse s'est scandalisée du visage bronzé de François et de nos sorties sur la plage, quand la moitié de la France était en vacances. Vingt ans plus tôt, elle s'émerveillait d'un Président qui savait jouer au golf au cœur de la tourmente politique…

Je regarde encore quelques photos. Celles de mes enfants petits, celles de la vie qui file comme un rien. François m'appelle vers 23 heures et ne me parle pas de ce dîner auquel Julie Gayet vient de participer. Je l'apprendrai un peu plus tard. Je trouve évidemment étrange d'avoir été écartée mais je ne m'alarme pas.

Un mois plus tard, en novembre 2012, la rumeur revient en force. Paris bruisse de l'existence d'une photo, qui serait la preuve de leur liaison. J'interroge François, je lui demande s'il a raccompagné l'actrice après le dîner. Il m'assure que non.

Le murmure de la ville devient tapage. L'AFP est sur la piste. Une précision surgit : la photo le montrerait en bas de chez elle, rue du Faubourg-Saint-Honoré, à deux pas de l'Élysée. Je suis dans mon bureau, j'appelle François. « J'arrive », dit-il. En moins d'une minute, il est face à moi. Nous nous isolons dans la bibliothèque qui jouxte mon bureau. Il m'avoue être allé chez elle en septembre mais pour une réunion d'artistes.

– Combien étiez-vous ?

– Je ne sais plus, dix, douze.
– Impossible, tu mens, ç'aurait été dans ton agenda et un Président ne fait pas ce genre de trucs.

Je m'énerve. Il cède sous la pression et avoue que c'était avec Pinault. Un dîner organisé par Julie Gayet pour que les deux hommes se rencontrent. Il ne précise pas s'il s'agit du père ou du fils, mais il connaît les deux et le Président n'a pas besoin d'entremetteuse. Je me souviens très bien du soir où il m'avait dit être allé dîner chez Pinault en tête à tête…

Il n'était pas rentré tard, nous nous étions retrouvés rue Cauchy et il m'avait raconté qu'il s'agissait pour l'homme d'affaires de restituer deux statuettes chinoises qui avaient été pillées au palais d'Été de Pékin en 1860 par les troupes franco-britanniques. Deux têtes d'animaux en bronze, un rat et un chien, manquant à un ensemble de douze pièces reconstituant le calendrier chinois. Cette restitution devait s'insérer dans le programme diplomatique franco-chinois lors de la prochaine visite d'État prévue en avril. Mais que vient faire Julie Gayet dans cette histoire ? Pourquoi ai-je encore été exclue ?

Je m'agace de ce mensonge. Mais une histoire avec elle, je n'y crois toujours pas. J'estime François trop habité par sa fonction pour prendre un tel risque. Et j'ai la faiblesse de croire que nous nous aimons suffisamment pour que cela n'arrive pas. Suis-je donc naïve ? L'un de mes amis journalistes m'explique que ce sont des policiers de droite qui alimentent la rumeur. Il soupçonne des officines qui ont l'habitude de fabriquer des affaires de toutes pièces pour déstabiliser. Je le crois aussi.

J'en avais fait les frais pendant la campagne avec une fausse fiche de police qui circulait dans toutes les rédactions. Mon avocate avait voulu me voir en catastrophe. Les journalistes de *L'Express* m'avaient également contactée pour m'en parler avant la publication. Ils savaient que ce document était un faux et voulaient dénoncer les méthodes utilisées par la partie adverse. Cette fiche me prêtait des liaisons avec la moitié de la classe politique de droite comme de gauche.

Ce document était un faux grossier mais j'avais été alors totalement déstabilisée par l'affaire. La seule chose qui m'importait était que mes enfants ne puissent pas penser que leur mère était ce genre de femme. Ce fut le premier tsunami médiatique pour moi, le premier d'une longue série.

À la publication de *L'Express,* mon téléphone sonnait sans interruption. La presse appelait de tous les côtés. Je ne décrochais pas. J'avais besoin de me protéger. Je n'allumais

pas la télévision. J'étais partie me réfugier dans ma maison de L'Isle-Adam. Mon fils aîné m'avait appelée :
– Qu'est-ce que t'as fait, maman, pour qu'on parle de toi partout ?
– Rien, si ce n'est être la compagne d'un candidat. Je deviens une cible.

J'étais rentrée aussitôt chez moi faire tourner mon lave-linge comme s'il fallait nous nettoyer de toute cette fange. Cette liste était tellement grotesque qu'elle avait fait sourire François. Pas moi.

Je ne crois donc pas à la rumeur Gayet. À un jeu de séduction, oui peut-être. À plusieurs reprises, je lui rappelle son mensonge, ces deux dîners auxquels elle assiste et pas moi. Puis la rumeur s'estompe.

Le répit est de courte durée. Alors que nous nous apprêtons à partir pour un voyage officiel en Russie fin février 2013, j'attends François dans le hall d'honneur de l'Élysée. Il tarde à arriver. On me prévient que Pascal Rostain, le célèbre paparazzi, se trouve dans son bureau. Cela me semble incroyable. Rostain avec François ? Non, impossible.

Je monte quatre à quatre les marches du bel escalier d'honneur que je n'emprunte jamais. Je passe d'un pas décidé devant les huissiers. D'habitude, je ne me permets pas d'entrer dans son bureau ainsi. En l'espace de vingt

mois, je n'y suis entrée que cinq fois. J'ouvre la grande porte sans frapper et lance à l'intrus :
– Qu'est-ce que tu fais là, toi ? Tu n'as rien à faire là.
Je le connais bien, nous avons même été copains à un moment, à *Match,* jusqu'à ce que je comprenne qu'il n'était pas fiable.

Rostain me répond qu'il est là pour mettre en garde François contre toutes les rumeurs qui circulent :
– On dit qu'il a un enfant noir en Corrèze.
– Tu veux plutôt parler de la rumeur Gayet ? C'est bon, ça tourne dans tout Paris, on n'a pas besoin de toi.
Puis je m'adresse à François :
– Nous devons y aller, tout le monde t'attend.
Et je glisse un bras sous le sien pour l'emmener avec moi, en laissant le paparazzi derrière nous.

Dans la voiture qui nous conduit à Orly, l'ambiance est très tendue.
– Que te voulait Rostain ?
– Rien de spécial, m'informer de toutes les rumeurs.
Pour la première fois, j'ai des doutes :
– Tu ne l'aurais pas reçu ainsi au dernier moment si tu n'avais pas quelque chose à te reprocher.
– Non, je t'assure.
La présence des policiers dans la voiture m'empêche de poursuivre mes investigations.

Un mois encore et la rumeur surgit à nouveau. Même scénario. Des photos circuleraient. On me dit aussi que Julie Gayet ne fait rien pour démentir cette histoire, au contraire, elle jouerait le mystère. Je décide de l'appeler. Nous sommes le 28 mars. Le soir même, François doit s'exprimer sur TF1. Elle ne semble pas surprise de ce coup de fil. Je lui explique que cette histoire est désagréable pour moi et mauvaise sur un plan politique. Elle me répond que c'est aussi très pénible pour elle. Je lui suggère qu'elle démente elle-même pour mettre fin à ce mauvais film. Elle accepte. Je lui envoie un message pour lui dire d'attendre le lendemain, afin de ne pas polluer l'interview présidentielle.

– Je crains que ce soit trop tard, mon avocat a déjà envoyé le communiqué.

Le timing n'est pas bon, mais le démenti officiel me rassure. Les termes sont clairs et fermes. L'actrice annonce qu'elle poursuivra tous ceux qui colportent l'hypothèse d'une liaison. Je me laisse berner. Mais comment peut-on mentir à ce point ?

Pause.

Je me tranquillise pendant quelque temps. Cependant, insensiblement, François s'éloigne. Est-ce la réalité ou le cancer de la jalousie qui me joue des tours ? La rumeur va et vient. Un soir, je prends François entre quatre yeux :

– Jure-moi sur la tête de mon fils que c'est faux et je ne t'en parle plus.

Il jure sur la tête de mon fils et me demande de le laisser tranquille avec cette pseudo-histoire. Il me dit qu'il a trop de travail et de soucis pour se laisser encombrer par les ragots. Que je deviens pénible avec cette faribole. C'est l'expression qu'il emploie : une faribole.

Son assurance devrait me tranquilliser définitivement, mais le poison s'est installé. Je me raisonne et mets sa distance sur le compte de la pression. Tout est difficile pour lui, les vents politiques sont mauvais. Nous restons cependant un vrai couple et partageons encore de bons moments ensemble.

L'été passe, puis l'automne. La conjoncture se dégrade. La cote de popularité de François est au plus bas. Arrive alors la séquence sur Canal+, le 16 décembre 2013. Je ne regarde pas en direct Le Grand Journal présenté par Antoine de Caunes et j'ignore que Julie Gayet est invitée avec Stéphane Guillon. Nous devons nous rendre à un dîner quand je reçois un SMS d'une amie :

– Tu as regardé Canal ?

– Non, pourquoi ?

– Il faudrait que tu regardes.

François passe me chercher à l'appartement afin que nous partions ensemble à ce dîner. Un journaliste lui a proposé de lui faire rencontrer de « vrais gens ». En réalité une bande de bobos parisiens rassemblés dans un bel appartement ouvrant sur une cour pavée du XVIIe siècle.

Ce n'est que le lendemain matin que je vois sur Internet la reprise de cette séquence du Grand Journal. Stéphane Guillon assure que le Président s'est rendu sur le tournage du film avec Julie Gayet. Elle, ne dément pas et minaude.

J'appelle immédiatement François sur son portable, il ne décroche pas. Je passe par ses secrétaires, ce qui m'arrive extrêmement rarement. Je dis que c'est urgent, qu'il faut que je lui parle le plus rapidement possible. Elles me répondent : « On te le passe juste après son rendez-vous. » Il ne tarde pas à me rappeler. Je lui pose la question sans détour.

– Es-tu allé sur le tournage de son film ?

Il m'assure que non. Mais cette fois ma patience a atteint ses limites. Je m'énerve. Il le sent. J'exige un démenti. Il sera fait dans l'heure. Je laisse plusieurs messages sur le répondeur de Julie Gayet lui demandant de me rappeler, ce qu'elle ne fera jamais. J'étais aussi aux abonnés absents pour Ségolène Royal, comme il me le demandait, lorsqu'elle me téléphonait en 2006. Ironie du cycle de l'infidélité…

Nous nous retrouvons le soir pour dîner. Mon fils n'est pas là. Nous dînons tous les deux dans le salon. Il parle consciencieusement de choses et d'autres, il élude. Son silence me pèse. Je crève l'abcès et lui dis que je ne comprends pas l'attitude de cette fille qui laisse planer le doute, que je n'en peux plus de cette rumeur. J'attends qu'il soit de mon côté pour la combattre.

Au lieu de me rassurer, il prend aussitôt la défense de Julie Gayet. Je suis outrée par son attitude. Je me sens humiliée. Je deviens folle de rage, il me rend dingue avec ses non-dits. Il me crache des horreurs à la figure.

Je pars dans la salle de bains. Comprimé après comprimé, je défais une plaquette de somnifères. Il doit en rester huit. Je reviens et les avale devant lui. Je ne sais pas si cette histoire est vraie, au fond je ne le crois pas, mais je ne comprends pas son attitude. Je n'en peux plus. Il est devenu trop dur, tellement différent, indifférent, et j'ai le sentiment qu'il ne m'aime plus.

Il essaie de m'entraîner pour aller vomir. Je tombe inanimée sur le canapé. Je ne sens plus mon corps, je ne parviens pas à parler mais j'entends, comateuse. Mon geste est un appel au secours. Sauf que je ne perçois rien d'autre que son silence. Il ne m'adresse pas une parole, ne prononce même pas mon prénom. Il m'allonge les jambes, touche mon front et part. Je reste seule. Pas un médecin ne viendra me voir… Personne. L'Élysée est une ruche, le cœur du pouvoir, mais les appartements privés sont comme une bulle silencieuse, préservée de l'agitation, dans laquelle personne n'ose entrer. Je m'y suis sentie parfois très seule.

Je parviens plus tard à me traîner jusqu'à la chambre et m'endors. Est-il revenu ? S'est-il endormi à mes côtés ? Je ne me souviens de rien, écrasée par les somnifères. Je me réveille le lendemain vers midi. Le Noël des enfants de l'Élysée commence à 14 heures. J'ai pris en charge la préparation, en y associant beaucoup d'enfants défavorisés ou handicapés. J'en connais certains personnellement, je ne peux pas leur faire faux bond.

Suis-je en état d'y aller ? Je me lève, je tiens debout, nauséeuse. Non seulement je veux y arriver mais il faut que je brille à ses yeux. Je veux qu'il me voie lui, qu'il me regarde enfin. Je décide de ne pas porter la robe rose prévue, mais une robe longue Dior, sublime, ornée de strass, prêtée pour un dîner d'État. Le coiffeur et la maquilleuse de l'Élysée arrivent. Olivier et Nadia sont des magiciens.
– Aujourd'hui, je voudrais le grand jeu !

Je parle très tranquillement, l'effet des somnifères se fait encore sentir, je suis comme ouatée. Ils se mettent au travail. Nous prenons le temps. Ils me transforment. Lorsque je suis prête, je descends d'abord au bureau.

Mon équipe m'accueille avec enthousiasme. Nous décidons de faire une photo tous ensemble. Nous prenons la pose à plusieurs reprises, tout sourire. Aucun d'entre eux ne peut imaginer ce qu'il s'est passé la veille.

Je n'ai pas revu François depuis le moment où il m'a abandonnée sur le canapé. Les organisateurs ont prévu que j'assisterai seule au spectacle commandé pour les enfants. Le Président doit arriver à la fin. Les six cent cinquante petites têtes sont déjà installées, impatientes que les festivités commencent. La salle bruisse de leurs rires et de leurs voix.

Je m'arrête pour embrasser quelques-uns d'entre eux, ceux que j'ai rencontrés. Pour la plupart, ils sont sur un fauteuil roulant. Lorsque arrive le chanteur M. Pokora, l'ambiance se déchaîne. À la fin du show, il est convenu que j'aille à la rencontre du « Président » pour revenir avec lui, dans la salle. Je l'attends en bas de l'escalier d'honneur. À son premier regard, je vois que j'ai réussi mon coup :
– Tu es magnifique, on dirait une reine.

Nous faisons notre entrée ensemble, pour une fois il m'attend, alors qu'il a pris l'habitude de marcher devant sans se soucier de moi. Je monte sur scène avec lui, ce qui n'était pas prévu. Il adresse quelques mots au jeune public et, pour la première fois depuis des mois, il a une phrase à mon égard, un remerciement public pour l'organisation de ce Noël enchanté.

Je me retrouve quelques instants plus tard à danser avec un jeune homme que je ne connais pas. Puis François et moi allons de table en table pour distribuer les cadeaux, faire des photos et signer des autographes. Il est plutôt attentionné. Il me suit lorsque je lui demande d'aller voir telle ou telle association. Les enfants n'en ont jamais assez, ils veulent une photo avec le Président, une avec moi, puis avec les deux et des autographes ! Une heure plus tard, il repart travailler.

Je reste jusqu'à la fin. Il est 4 heures de l'après-midi. Angela Merkel arrive dans une heure et le personnel doit réaliser la prouesse de remettre la salle des fêtes en état en un si court laps de temps.

Durant cet intermède, je reçois dans mon bureau Sarah, avec ses enfants Éva et Raphaël. Leur père est mort en Afghanistan, en juin 2012, avec trois de ses camarades. J'avais accompagné François aux Invalides, à la rencontre des familles. En larmes, Sarah avait demandé au Président une dérogation pour un mariage posthume, ce qu'il avait bien sûr accepté. Sa demande m'avait bouleversée. J'étais allée lui porter en mains propres le document dans le Pas-de-Calais. Sarah gère un centre pour enfants handicapés, un IME (institut médico-éducatif), que j'avais visité à cette occasion. Des liens amicaux se sont créés entre nous.

Après son départ, je vais voir mes assistantes. Je m'assois dans leur bureau, avec ma robe longue et mes talons de quinze centimètres. Je n'ai rien mangé depuis la veille, je ne peux plus bouger.

Mon équipe m'apprend que j'ai dansé avec Brahim Zebda, l'ex de Madonna, qui faisait partie du spectacle, et que la vidéo commence à faire le buzz sur Internet. Je ne savais pas qui il était. Il avouera ensuite lui aussi ne pas savoir qui j'étais. Nous sommes quittes.

Mon téléphone sonne, c'est François :
– Est-ce que tu veux venir saluer Merkel ?
Jamais il ne me fait ce genre de propositions.
– Quand ?
– Dans cinq minutes.

Je ne peux pas y aller en robe longue. Je retire mes chaussures, monte quatre à quatre les marches de l'escalier qui mène à l'appartement. À toute vitesse, je change de robe et de chaussures. Je redescends aussi vite et je suis dans le hall, prête à accueillir la chancelière aux côtés du Président.

L'échange avec elle est agréable. Je la rencontre pour la première fois. Elle me dit être heureuse de me voir et aimerait beaucoup que nos deux couples se retrouvent à l'occasion du festival de Bayreuth. Je lui réponds que j'en serais ravie. François et Angela Merkel partent ensemble pour une séance de travail avant le dîner.

Je peux enfin aller me reposer, avant d'aller à un dîner de mon côté, prévu de longue date. Je m'allonge sur le lit, totalement éreintée. La gentillesse de François durant cette journée ne me fait pas oublier la veille et la violence de ses mots… Lorsque je rentre de mon dîner, il dort déjà. Le lendemain, il part à Bruxelles pour un Conseil européen. Nous avons à peine le temps d'échanger quelques mots au petit-déjeuner. Mon fils et le personnel sont là, donc rien d'intime n'est possible.

Je décide de lui écrire une longue lettre qu'il emportera à Bruxelles. Je la fais porter à son bureau. Je lui explique que son comportement de la veille n'est pas acceptable : me laisser seule, sans appeler de médecin, relève de la non-assistance à personne en danger. Si je doutais de son désamour, quelle preuve plus éclatante que celle-là ?

Je lui écris que je l'aime toujours mais que cette vie-là ne peut continuer pour moi. Je peux admettre évidemment la charge de travail et la lourdeur de la fonction. Mais est-il nécessaire d'y ajouter de la méchanceté, et pire encore, de l'indifférence ? Notre amour vaut mieux que ça. Comment le pouvoir a-t-il pu étouffer cet amour si fort, si violent ? J'étouffe moi aussi. J'ai besoin d'air. De sentiments et de respect.

À son retour, deux jours plus tard, nous avons une conversation. Dure, très dure. Il revient sur notre mauvaise entente. Il me critique, regrette que je sois devenue impossible à vivre. Bien sûr, je suis tendue et nerveuse, les frictions entre nous se multiplient, parfois pour un rien. Je suis en état de souffrance permanente tant son indifférence m'atteint.

Est-ce moi qui ai changé ou lui ? Il me fuit, ne supporte plus que je sois en public à ses côtés. Les photographes ont remarqué qu'il n'a plus jamais un regard ou une attention pour moi, qu'il ne m'attend pas, qu'il me parle de moins en moins en aparté. Les téléobjectifs sont des microscopes des sentiments.

François me rappelle « l'affaire du tweet » :

– Elle a fait beaucoup de mal. Peut-être aurions-nous dû nous séparer à ce moment-là.

Il sait pourtant ce qu'il en est. Il connaît les circonstances. Je ne m'exonère pas de cette faute. J'en ai supporté toutes les conséquences, elle me poursuit encore aujourd'hui, donc je sais que j'ai eu tort. Mais ce jour-là, s'il ne m'avait pas menti une fois encore, rien ne serait jamais arrivé. Je n'aurais pas écrit ces quelques mots irréparables.

L'affaire avait commencé avant même la présidentielle, quand la victoire se dessinait et que Ségolène Royal rêvait tout haut d'un poste prestigieux. Candidate malheureuse à la présidentielle cinq ans plus tôt, elle jette son dévolu sur la présidence de l'Assemblée.

Nous en discutons à plusieurs reprises avec François. Il n'y est pas favorable. Il sait ce qu'il en coûtera, à la fois sur le plan médiatique et en termes de complications politiques. Personne ne peut nier leurs liens privés, et moi pas davantage. Ils ont quatre enfants ensemble, il n'y a rien de plus précieux. Mais l'éventuelle accession de Ségolène Royal au perchoir de l'Assemblée relancerait le roman médiatique du trio amoureux dont nous avons tous déjà trop souffert.

Plusieurs juristes l'alertent également sur le risque inédit que comporterait un lien privé entre le pouvoir exécutif et le pouvoir législatif, alors que la Constitution exige la séparation des pouvoirs. Depuis 1875, le président de la République n'a pas le droit de se rendre à l'hôtel de Lassay ni d'entrer dans l'hémicycle.

François Hollande en Président et la mère de ses enfants à la présidence de l'Assemblée, c'est la certitude de polémiques sans fin. François le sait, mais il laisse Ségolène Royal à son rêve. Il l'encourage même puisque c'est ce qu'il a négocié avec elle lors de son ralliement après le premier tour des primaires socialistes, lorsqu'elle lui a apporté son soutien contre Martine Aubry. Mais officieusement, il assure qu'il n'en veut pas comme troisième personnage de l'État. Cette duplicité ne m'étonne pas. Combien de fois l'ai-je ainsi entendu, lorsqu'il était premier secrétaire du PS, encourager un candidat et tout faire ensuite pour qu'il n'ait pas l'investiture ? Organiser en sous-main des opérations de barrage à une élection en faisant porter le chapeau à d'autres ? C'est un politique, par toutes les fibres de son corps. La tactique est une seconde nature.

À l'issue du premier tour des législatives de juin 2012, la situation électorale n'est pas bonne pour Ségolène Royal. Elle a été parachutée à La Rochelle parce qu'elle a laissé son fief historique à Delphine Batho. Les habitants de cette ville sont attachés au candidat PS dissident Olivier Falorni, militant local de longue date, qui la talonne au premier tour.

Je suis présente lors de la soirée électorale, organisée dans le salon vert qui communique avec le bureau présidentiel. Deux douzaines d'ordinateurs ont été installés sur cette table. Il y a beaucoup de monde, je connais peu de gens parmi ceux qui décortiquent les résultats au fur et à mesure qu'ils tombent. Il règne cette atmosphère de fièvre électorale que je connais si bien et que j'aime tant respirer. Un buffet est dressé à côté.

François analyse les résultats. En filigrane, se pose la question « Ségolène Royal ». Il secoue la tête :

– Elle n'a plus aucune chance. Elle arrive en tête avec 32 %, mais Falorni est juste derrière avec 3 % d'écart. Il est bien implanté. Il va rassembler facilement au second tour.
– Tu ne feras rien pour la soutenir ?
– Non, m'assure-t-il, tu peux être tranquille, je ne ferai rien je m'y suis engagé.
– Tu sais que Falorni est quelqu'un de bien et qui t'a toujours été fidèle.
– Oui, c'est quelqu'un de bien.

En bon politique, il téléphone tout de même au candidat dissident pour lui demander – mollement – de se retirer. Falorni refuse, mais les choses sont claires pour tout le monde.

Je pars me coucher un peu avant minuit. Je suis rassurée, car je craignais une nouvelle vague médiatique. La presse s'est tellement amusée de notre rivalité, du « Hollande et ses deux femmes »... J'en suis meurtrie au plus profond de moi-même. Quelques jours avant la cérémonie d'investiture du 15 mai 2012, deux journalistes, que je connaissais pourtant bien, m'avaient ainsi téléphoné pour me demander si j'y serais présente.
– Pourquoi y seras-tu si Ségolène Royal n'y est pas ? me demande l'un.
– À quel titre ? me demande l'autre.
Je suis tellement déstabilisée que je ne peux que répondre la voix mal assurée :

– Je ne sais pas, je suis censée devenir première dame, non ?

Même eux ne me considèrent pas comme légitime. Pourtant, avec François, nous sommes officiellement ensemble depuis cinq ans, sept ans en réalité. Et je n'ai toujours pas ma place à ses côtés.

Je suis donc soulagée que le spectre d'une cohabitation ingérable s'éloigne. Nous ne rentrons pas rue Cauchy. Je m'endors de son côté du lit dans l'appartement de l'Élysée, confiante. Pour François, la nuit sera courte à attendre l'ensemble des résultats. Je ne l'entends pas se glisser à mes côtés.

Le lendemain matin, il part très tôt. Nous avons juste le temps d'écouter un peu la radio ensemble. Je prends mon temps pour me préparer et je descends à mon bureau un peu plus tard. Comme j'en ai l'habitude, je consulte le fil AFP sur mon iPhone. Je découvre soudain une dépêche « Urgent » : « François Hollande apporte son soutien à Ségolène Royal. »

La dépêche agit sur moi comme un coup de poignard. Le texte est sobre : « Dans cette circonscription de Charente-Maritime, Ségolène Royal est l'unique candidate de la majorité présidentielle qui peut se prévaloir de mon soutien et de mon appui. François Hollande, président de la République, lundi 11 juin 2012. »

Il m'a donc menti et vient par la même occasion de renier l'un de ses engagements de campagne. Pourquoi n'a-t-il pas été honnête la veille au soir quand il m'a parlé ? Pourquoi n'a-t-il pas essayé de m'expliquer qu'il ne pouvait pas faire autrement ? Que Ségolène Royal faisait pression sur lui et que les enfants étaient intervenus en sa faveur ? Je crois que j'aurais tempêté, mais je me serais inclinée. Il n'a pas eu le courage de m'en parler. Il vient de désavouer l'une de ses promesses publiques, brandie comme un serment et il l'a fait pour des raisons privées. Et à moi, il a menti, une fois de plus.

J'appelle aussitôt François, furieuse. Je le préviens que je vais soutenir Falorni. J'avais déjà été choquée du sort qui lui avait été réservé avec sa mise à l'écart de l'investiture. Là, c'est une double peine. François sent qu'il est allé trop loin, que mon énervement est à son comble. Il essaie d'éteindre l'incendie qu'il a lui-même allumé.
– Attends-moi ! J'arrive, on se rejoint en haut.

Nous nous retrouvons dans une pièce entre l'étage présidentiel et notre chambre, où Mitterrand entreposait ses livres et ses affaires de golf. Le couple Sarkozy en avait fait une chambre d'enfant. Je l'ai transformée en bureau personnel. J'y ai installé des photos de mes fils lorsqu'ils étaient petits et quelques-uns de mes souvenirs, ceux que j'ai voulu mettre à l'abri des regards des visiteurs que je reçois dans le bureau officiel juste en dessous. Je m'y retire toujours à un moment ou à un autre de la journée pour échapper à la lourdeur du Palais.

Mais cette fois, la lourdeur est dans le bureau. L'atmosphère est tendue, comme à la minute qui précède un orage prêt à exploser, avec ses coups de tonnerre et ses premiers éclairs secs qui zèbrent le ciel. J'éclate de colère. C'est notre plus grosse dispute depuis que nous nous connaissons.

Je ne comprends pas sa trahison, il lui suffisait *a minima* de ne pas me mentir. Si seulement il avait été capable de me dire, les yeux dans les yeux : « Comprends-moi, je ne peux pas faire autrement pour mes enfants... » Je suis capable de comprendre l'importance de la mère. J'en suis une. J'aurais essayé, oui, de l'admettre. Il tente de me calmer.

Mais il me ment encore. Il m'assure qu'il n'y est pour rien, que c'est le secrétaire général de l'Élysée qui s'est occupé de cette affaire. C'est le coup de grâce : le mensonge est énorme. Pierre-René Lemas réfutera ensuite cette excuse dérisoire : au contraire il a voulu empêcher François d'apporter ce soutien qui mélange tout, vie privée et vie publique. Et il n'est pas le seul conseiller à avoir tenté de l'en dissuader.

François l'a fait. Au plus profond de moi, sa décision réveille mon sentiment d'illégitimité, qui me fait tant de mal depuis l'officialisation de notre relation. Lors de la dispute, je préviens François du tweet de soutien que je vais rédiger. Il veut m'en empêcher, tente de m'arracher mon téléphone des mains. Il renonce avant que les choses ne dégénèrent davantage. Je m'assois sur le petit lit coincé contre le mur. Je me mets à la rédaction de mes 139 signes.

Volontairement, je n'utilise pas le mot « soutien » mais « courage ». Je pense qu'Olivier Falorni peut jeter l'éponge après le soutien présidentiel à Ségolène Royal. Je le connais, nous avons eu un bref échange au téléphone la veille et il craignait un geste de Hollande à l'égard de sa rivale. Je l'ai rassuré : il n'y en aurait pas. Le Président me l'avait garanti. Découragé, Olivier Falorni peut très bien avoir déjà renoncé. Je rédige mon tweet de manière à ce qu'il convienne dans les deux hypothèses.

Ma colère occulte ma raison. Mon doigt ne tremble pas lors de la rédaction de ce message. Pas davantage lorsqu'il s'agit d'envoyer le message aux abonnés de mon compte Twitter. Il est 11 h 56. « Courage à Olivier Falorni qui n'a pas démérité, qui se bat aux côtés des Rochelais depuis tant d'années dans un engagement désintéressé. » Pas un instant je n'imagine la déflagration qu'il va provoquer. Cette petite phrase se propage à la vitesse du Net, elle est reprise, renvoyée, commentée des millions de fois, mais je n'en ai pas conscience. Aveuglée par le mensonge du Président, je me suis jetée toute seule dans la gueule du loup.

Je préviens aussitôt deux personnes, Patrice Biancone mon chef de cabinet et Olivier Falorni à qui j'envoie un SMS. Patrice vient me voir immédiatement. Lui mesure l'ampleur de la catastrophe. Son téléphone commence à vibrer frénétiquement, puis c'est au tour du mien. Toute la presse appelle. Je réponds seulement à l'AFP, qui me demande si mon compte a été piraté ou si c'est bien moi qui ai écrit. J'assume. Puis je me retire, je m'enferme, je me coupe du monde comme je le fais à chaque tremblement de terre.

Malgré tout, je maintiens mon déjeuner avec… une éditrice, dans le cadre de ma page consacrée aux livres dans *Paris-Match*. Le tweet est évidemment la première chose dont elle me parle. Elle réalise que je ne me rends pas compte de la portée de mon acte. Elle me raconte ce qu'elle a entendu dans le taxi en venant, la polémique qui enfle et l'incompréhension. Tout ce que justement je n'ai pas voulu imaginer. Et elle me fait une offre d'édition que je décline aussitôt.

François vient me voir quelques heures plus tard. Lui aussi a immédiatement mesuré les dégâts mais il a cette qualité immense de regarder d'abord devant et de ne jamais s'attarder sur ce qui est fait. Comment fait-on pour se sortir de cette situation ? C'est la seule chose qui le préoccupe. Je n'en ai aucune idée. Il est très fâché, me signifie qu'il restera à l'Élysée le soir même pour dîner avec ses enfants, que je rentrerai seule avec mon fils rue Cauchy. Je ne discute pas.

Le lendemain, il me retrouve dans notre appartement. Il est toujours en colère, m'adresse à peine la parole. Il est muré dans un de ses silences qui me font tant de mal. Je déteste ces soirées où nous sommes comme deux étrangers, deux solitudes. En est-il simplement conscient ?

Lui et ses conseillers redoutent un impact négatif sur les résultats du second tour des élections législatives. Les commentaires de tous les journalistes et des « grands experts » des pronostics politiques vont tous dans le même sens. Ils affirment qu'avec ces 139 signes, je viens de faire perdre au moins cinquante sièges au parti socialiste.

Malgré son irritation contre moi, François honore une promesse faite à mon plus jeune fils. Nous devions aller dîner tous les trois dans un restaurant qu'il voulait nous faire découvrir. François aurait pu annuler, j'aurais compris. Léonard aussi. Mais François a vu grandir mon fils depuis sept ans. Il l'a connu enfant et tous les deux s'entendent bien. Il veut lui faire plaisir et tient son engagement pour une fois. Heureusement Léonard anime la conversation, je surprends à plusieurs reprises le regard un peu perdu de François. Je mesure le mal que je lui ai fait.

Je lui dis que je suis prête à présenter des excuses publiques. Il refuse, il ne veut plus que je m'exprime. Il craint que cela ne rallume le feu. Mais les braises sont loin d'être éteintes. Le feu ne cessera de brûler et il couve encore. J'aurais dû suivre mon instinct et m'excuser officiellement.

J'adresse quand même des SMS d'excuses à deux de ses enfants. Thomas me répond sévèrement, mais il souligne en filigrane que le fond du problème est qu'il n'accepte pas la séparation de ses parents, comme ses frères et sœurs et comme la plupart des enfants de parents qui ont refait leur vie. Nous sommes bien dans un imbroglio privé.

Le lendemain, François et moi allons ensemble à l'exposition de peinture de Florence Cassez à la galerie 75 Faubourg, située à deux pas de l'Élysée. Il n'y a évidemment pas d'effusion entre nous. Il est distant. Je le vois peu jusqu'au lundi, il passe son temps à l'Élysée. Il n'a pas besoin de se rendre à Tulle pour voter, puisque celle qu'il a choisie pour lui succéder, Sophie Dessus, a été élue au premier tour. Lorsque nous sommes seuls, il me parle de « ma mauvaise image ». Il craint que je ne devienne contagieuse. Il ne pense qu'à lui.

– Et moi ? Tu te souviens où en était ton image quand je t'ai aimé ? Si j'avais dû m'arrêter à ta popularité, je ne serais pas tombée amoureuse de toi.

Il était d'ailleurs tellement bas dans ces années 2005-2006 qu'il n'était pas mesuré par les instituts de sondage. Je suis exclue de la soirée électorale, mais je ne demande pas mon reste. Je demeure seule rue Cauchy. Nous échangeons des messages dans l'après-midi lorsqu'il reçoit les premières tendances. Je le sens se détendre. Les résultats sont encore meilleurs que ceux qui étaient prévus avant le tweet. Ma faute n'a pas eu la moindre conséquence sur le score du PS. Ségolène Royal n'est pas élue mais son faible score du premier tour était irrattrapable. Comme lors de la présidentielle de 2007.

Malgré les très bons résultats d'ensemble de la majorité présidentielle, je ne reçois pas beaucoup de soutien dans les jours qui suivent. La victoire du PS était attendue, mon tweet est donc un événement plus excitant pour la presse, qui se déchaîne. Ségolène Royal devient la victime d'un coup bas et non d'un parachutage malheureux. Aux yeux des médias et de l'opinion publique, je suis coupable de l'avoir fait échouer, coupable d'être intervenue dans un débat politique pour régler un différend privé, coupable de ne pas être en accord avec le Président dont je partage la vie, coupable de jalousie irraisonnée. Une voleuse de mari, destructrice de famille, rancunière et colérique, hystérique. N'en jetez plus. Je propose à nouveau à François de présenter des excuses publiques. C'est non.

J'essaie d'échapper à cette vindicte générale. Je coupe tout. Je m'isole. Il m'arrive de recevoir des messages me disant « surtout ne lis pas cet article » et c'est pire encore. Soit je résiste, et j'imagine le pire. Soit je le lis, et cela m'abat.

Je dois essuyer les rappels à l'ordre de tous les hauts personnages de l'État et des ténors du PS. C'est à qui aura la petite phrase la plus dure à mon égard : Jean-Marc Ayrault, Claude Bartolone, Martine Aubry, François Rebsamen et j'en oublie. Je connais le jeu politique. J'ai été quinze ans journaliste dans ce domaine. Je sais qu'aucun d'entre eux ne se serait permis ces attaques sans l'aval de François. L'une de mes amies me dira plus tard cette phrase terrible : « C'est Hollande lui-même qui a délivré le permis de tuer. »

Ai-je jamais été aussi seule ? Sa colère contre moi est retombée après le deuxième tour, favorable à la gauche, mais il reste dur. Je ne comprends pas pourquoi ces responsables politiques ne cherchent pas à dédramatiser et à passer à autre chose. Chaque jour, l'un d'entre eux entretient la polémique.

Pour ne pas sombrer, je m'évade le plus souvent possible dans le parc de Versailles pour pédaler, pédaler encore.

Je ne suis pas certaine à ce moment-là de remettre les pieds à l'Élysée. J'ai les idées noires, très noires. Mais je dois tenir, mes deux fils passent leur bac. Cet examen arrive au moment où la tête de leur mère est symboliquement mise à prix, affichée sur tous les dos de kiosques avec des titres plus assassins les uns que les autres. Quel crime ai-je donc commis ? On me reproche d'avoir mélangé la vie privée et la vie publique. C'est vrai. Mais est-ce moi qui ai commencé ? François Hollande n'a soutenu qu'un seul candidat et c'est la mère de ses enfants. Il ne l'a fait pour aucun autre. C'est lui qui a fait entrer sa vie privée dans la politique.

Mais par ce tweet, j'ai touché au symbole suprême : à la mère, à l'intouchable. Je suis une mère, moi aussi, mais pas celle des enfants du Président. Ça ne compte pas. Quelques mois plus tard, un spécialiste des sondages me conseillera de mettre en scène mes enfants. Il m'expliquera que les Français ne me voient jamais avec eux. Quelques photos de famille, savamment orchestrées, me dira-t-il, suffiraient à renverser l'opinion, pour que l'image de la mère de famille recomposée remplace celle de la maîtresse, au sens le plus négatif du terme. Je refuserai évidemment cette comédie et l'utilisation de mes enfants à mon profit.

Quelques femmes du gouvernement, telles que Yamina Benguigui, Aurélie Filippetti ou Marisol Touraine, prennent, malgré tout, ma défense. J'en suis touchée. Yamina m'explique même que je suis devenue un symbole d'indépendance dans les banlieues. Pour les jeunes filles, je suis celle qui refuse « le devoir d'obéissance ». Cela me surprend mais effectivement, lorsque j'oserai enfin affronter la rue, je recevrai des témoignages de sympathie et de soutien, dont beaucoup de jeunes filles ou de femmes issues de la diversité.

Un déjeuner avait été fixé avec Najat Vallaud-Belkacem dans les deux ou trois jours qui suivent le « scandale ». Je suis persuadée qu'elle va annuler du fait de sa proximité avec Ségolène Royal. Non, elle maintient. Là encore, je lui suis reconnaissante. Évidemment, nous abordons rapidement la question du tweet. J'exprime mes regrets. Mais ce n'est pas ce qui l'intéresse :
– Je suis impressionnée par ta puissance médiatique alors j'ai pensé que nous pourrions faire des opérations ensemble.

Je suis stupéfaite. Je me serais bien passée de cette « puissance médiatique », de toutes ces unes de magazines qui me traitent comme si j'étais une sorcière, méchante et jalouse. Mais je la trouve en même temps courageuse d'être prête à s'afficher à mes côtés.
– À quoi penses-tu ?

– Nous pourrions aller ensemble à la rencontre des prostituées, la nuit, au bois de Boulogne.
Sa réponse me laisse coite. Je sais qu'elle veut faire de la lutte contre la prostitution l'un de ses combats. Mais cette fois, c'est moi qui me dégonfle :
– Je ne suis pas sûre que dans les circonstances actuelles, ce soit une bonne idée. Je pense qu'il me faut des sujets plus consensuels.

Mais je retiens ce terme de « puissance médiatique » qui la fascine. Elle est attirée par ce que je cherche à fuir depuis le début de mon histoire avec François Hollande et dont je ne parviens pas à me défaire.

Je n'arrive plus à descendre dans mon bureau, je déserte l'Élysée. J'évite consciencieusement ces conseillers dont je sens l'hostilité. Trois d'entre eux viendront tout de même m'avouer, en catimini, qu'ils me comprennent, que le Président a eu tort avec son communiqué de soutien. Ils pensent même que je lui ai servi de paratonnerre. Sans mon tweet, c'est sur lui que se seraient abattues les foudres de la presse puisqu'il soutenait son ex-compagne dans un mélange des genres évident. Quelques éditorialistes le soulignent, mais ils sont isolés.

En ce mois de juin 2012, les médecins me suggèrent de prendre un traitement d'anxiolytiques pour supporter la violence des attaques *ad hominem.* Je refuse. Je n'ai jamais pris d'antidépresseurs, je ne veux pas commencer.

Je me crois sans doute plus forte que je ne le suis. Aujourd'hui, je pense que cette alerte aurait dû me forcer à faire une pause. À prendre soin de moi, à essayer de comprendre l'engrenage dans lequel nous étions pris et comment je pouvais desserrer l'étau. Mais je reste seule avec mes pensées.

Lors de mes kilomètres parcourus à vélo le week-end à la Lanterne, je réfléchis à ce qui m'a poussée à commettre cette faute de 139 lettres. D'abord ma fidélité à Olivier Falorni, la double injustice qui lui a été faite, mais surtout la situation politique impossible qui aurait résulté de l'élection de Ségolène Royal. Lui, François Hollande au palais de l'Élysée, elle, à l'hôtel de Lassay. Chacun dans son palais. Je ne vois pas où aurait été ma place. Elle est déjà tellement difficile à trouver. On ne lance pas une bombe qui vous explose à la figure sans raison. La maladresse ne justifie pas tout.

Je ne me reconnais pas dans l'image que je traîne depuis le début de notre histoire. Aux yeux de tous, je suis celle qui a détruit « le couple mythique de la politique ». Lorsque nous avons basculé avec François Hollande dans une relation amoureuse – neuf ans déjà ! – j'avais pourtant moi aussi un mari, Denis, que j'aimais, avec lequel je m'entendais bien, et trois jeunes enfants.

Nous avions tout pour être heureux, une belle vie de famille, une vaste maison en grande banlieue, un chien joyeux qui vient de mourir au moment où j'écris ces pages. J'avais obtenu du journal de disposer de mes mercredis pour passer davantage de temps avec mes garçons. Moi, qui n'avais pas voulu répéter la vie de ma mère, j'essayais alors de lui ressembler.

Je faisais des crêpes ou des gaufres le mercredi après-midi. Nous partions en promenade, c'était encore l'âge des cabanes dans les bois. J'adorais traîner dans les jardineries à la recherche de nouvelles fleurs à planter. J'aimais tondre et jardiner. J'attendais le retour du printemps et du lilas, puis des cerisiers en fleur avec impatience. J'aimais ça.

J'ai résisté le plus longtemps possible à cette attirance entre François et moi. C'est lui qui était pressant, lui qui a fait basculer notre amitié amoureuse en amour-passion. Mais *in fine,* c'est moi qui fais les frais de cette relation. J'ai dû quitter le journalisme politique. Et j'incarne désormais aux yeux de tous la tentatrice, la méchante, la briseuse de couple.

Il n'est jamais facile de refaire sa vie avec un homme qui a un passé. Ce sont des situations délicates, que connaissent des millions d'autres femmes, mères de familles recomposées. Cependant la présence de Ségolène Royal dans le paysage politique rend les choses encore plus complexes pour François et moi.

Je sais aussi à quel point c'est difficile pour elle. À cinq ans d'intervalle, lors de l'élection présidentielle, plus de seize millions de Français ont glissé à deux reprises un bulletin de vote dans l'urne pour la gauche : le premier en 2007 avec son nom à elle, le second en 2012 avec son nom à lui. C'est une situation hors norme, unique dans les annales. Du moins jusqu'à aujourd'hui : si Hillary Clinton se présente, la situation sera similaire.

Je me souviens d'une promenade dans les jardins de l'Élysée alors qu'avec François nous évoquons justement la candidature de Hillary.

– Ce serait grotesque qu'elle soit candidate après son mari, me dit-il.

Je suis soufflée :

– Je te rappelle que tu l'as été toi, après Ségolène Royal, et que vous avez même été adversaires lors de la primaire !

Dans l'esprit de François Hollande, ce qui est permis pour elle et lui ne l'est pas ailleurs. Il vit dans le déni permanent.

De facto, dans l'inconscient des Français, et sans doute aussi dans le mien, le couple, c'est elle et lui. La mère de ses enfants est sa femme officielle. Et la femme illégitime, c'est moi. Et pourtant, je l'aime comme je n'ai jamais aimé personne.

J'ai sacrifié beaucoup pour lui, sans retour. Il y a bien eu cette phrase prononcée dans la presse dans laquelle il disait que j'étais « la femme de sa vie » : « C'est une chance exceptionnelle que de pouvoir réussir sa vie personnelle et de rencontrer la femme de sa vie. Cette chance, elle peut passer. Moi, je l'ai saisie. Depuis plusieurs années, je partage ma vie avec Valérie Trierweiler pour mon plus grand bonheur. » Avant de regretter publiquement quelque temps plus tard l'expression de « femme de sa vie », pour ménager Ségolène Royal, ses enfants, et peut-être aussi l'opinion. Quelle déception… Qui suis-je pour lui ?

Nous avons parlé plusieurs fois de ce sentiment d'illégitimité. Il ne voyait pas le problème, puisque nous vivions ensemble et que nous nous aimions. Un jour, j'ai tapissé le mur de notre cuisine de photos de mon ex-mari et de moi, au temps de notre mariage : des photos de bonheurs et de baisers de vacances. Il était choqué. Il a compris ce jour-là combien l'exposition médiatique permanente de sa vie d'avant avec Ségolène Royal rendait ma vie difficile, et que j'avais besoin de son soutien et de sa reconnaissance. Mais cela n'a pas duré.

Le jour du tweet, toutes les années de souffrance explosent. J'appuie sur le détonateur, et j'en suis la seule responsable. Mais la bombe à retardement a été fabriquée par François Hollande et Ségolène Royal, avec leur jeu constant entre privé et public, à coup de photos de famille et de déclarations ambiguës.

Tantôt ils s'affrontent, tantôt ils se servent l'un de l'autre comme marchepied. En 1997, après la victoire de « la gauche plurielle » aux législatives anticipées suivant la dissolution, François avait fait le siège de Lionel Jospin pour que Ségolène Royal soit intégrée au gouvernement. François prenait la tête du PS. Ségolène Royal devait être occupée pour qu'il dispose de sa liberté. Lionel Jospin avait fini par obtempérer.

Dix-sept ans plus tard, Ségolène Royal est réapparue dans le gouvernement de Manuel Valls, par la volonté de François Hollande. Ce jeu politique entre eux n'a pas de fin, c'est un labyrinthe dans lequel je me suis perdue.

Deux mois après la rupture, en mars 2014, je vais voter pour les municipales. Près de L'Isle-Adam, à quarante kilomètres de Paris, là où j'ai vécu avec ma famille, celle que j'ai constituée avant de rencontrer François. Mon cœur se serre, tandis que je gare ma voiture devant notre ancienne maison où vit toujours mon ex-mari.

Je passe devant l'école primaire de mes enfants. Une petite école à l'ancienne, n'accueillant que soixante-dix élèves en trois classes, située sur la place du village, devant l'église du XIIe siècle. Ils y étaient tous les trois. Les souvenirs affluent et me submergent. Je revois mes trois petits garçons si beaux, le matin à l'heure de la panique. Nous étions si proches de l'école que nous entendions la cloche sonner. Ce moment, où il fallait partir à la recherche d'une paire de chaussures, d'un manteau ou d'un cahier. Et réclamer le bisou pour la journée. Je partais ensuite marcher avec Denis et notre chien dans la campagne.

Une vague de nostalgie m'envahit. Mes enfants sont presque des hommes maintenant. Mon bureau de vote est dans « La maison à rêver », leur ancienne cantine. En ressortant, ce jour-là, peu m'importe les résultats du parti socialiste mais ce que j'ai fait de ma vie. Je viens de voter à gauche, et je pense à ma famille, ce mari brillant et ces garçons magnifiques que j'ai quittés pour François sept ans plus tôt. Personne ne croyait en lui, je n'avais aucun rêve secret d'Élysée. Jamais nous n'avions évoqué le fait qu'il pourrait être candidat un jour. Rien d'autre que de l'amour.

Tous ces sacrifices pour être jetée comme un mouchoir usagé, en l'espace d'un instant et de dix-huit mots. Ai-je fait le bon choix ? Toutes ces questions m'assaillent alors que je m'apprête à aller marcher et réfléchir dans la campagne, comme je le faisais autrefois. Une pluie de grêle m'oblige à faire demi-tour précipitamment. Faire demi-tour. Comme j'aimerais à cet instant retourner en arrière, que ces années n'aient pas eu lieu.

Mais comment ne pas songer à nouveau, alors, à nos premières années de passion avec François ? Celle qui emporte tout. Celle qu'on ne vit qu'une fois. Et à « l'avant d'avant », comme nous disions. Toutes ces années où j'étais en charge du parti socialiste en tant que journaliste politique. D'abord dans une revue *Profession politique,* là où j'avais débuté avec une dizaine de jeunes journalistes.

Exercer ce métier ne faisait pas partie de mes rêves, cela me paraissait trop inaccessible. Aussi j'ai eu le sentiment d'atteindre mon Graal lorsque la chance s'est présentée, grâce à un concours de circonstances assez incroyable, il y a maintenant vingt-six ans.

L'année de mon DESS de communication politique et sociale à la Sorbonne, je me suis retrouvée parmi les invités lors des soirées électorales pour l'élection présidentielle de 1988. D'un groupe à l'autre, je suis entraînée à la Maison de l'Amérique latine, là où François Mitterrand fête sa victoire. Il m'aperçoit dans la salle, me salue et me dit :

– On se connaît, n'est-ce pas ?

Non, bien sûr que non je ne connais pas le Président. J'ai vingt-trois ans, j'ai débarqué de ma province cinq ans plus tôt pour faire mes études à Paris et suivre mon premier amour, mais je ne connais personne « d'important », alors un Président…

Mais cette petite phrase n'échappe pas à l'oreille d'un investisseur au capital de la revue *Profession politique,* qui doit être lancée trois mois plus tard.

– Allez les voir, ils cherchent des jeunes, me dit-il.

Nous sommes en mai et dans un mois je termine mes études. J'ai quelques pistes de job dans la communication, que je poursuis sans conviction. Arrêter les études me coûte, j'aime la vie étudiante. Je prends tout de même contact avec la direction de *Profession politique,* peu convaincue de mes chances d'être recrutée.

Je suis certaine de ne pas avoir le bon profil. Je ne suis pas une Rastignac au féminin. Comme beaucoup, je doute de moi, je me heurte au fameux plafond de verre. Mais cette fois, je sens une force nouvelle qui me guide. Je passe un entretien, puis un deuxième. Et le miracle arrive : ma candidature est retenue. Je dois commencer le 1er août à *Profession politique.*

Mais un problème se pose. Comme chaque année, depuis cinq ans, je me suis engagée à travailler tout l'été chez Byblos, une boutique de bijoux ethniques située à Saint-Gilles-Croix-de-Vie, une station balnéaire de Vendée. Là où j'ai passé toutes mes vacances d'enfance, avec mes parents, mes frères et sœurs. D'abord dans une petite maison de location lorsque nous partions au mois de juin car les prix étaient abordables. Nous manquions alors un mois d'école. Puis quand nous avons un peu grandi, la transhumance de la famille se faisait vers le camping. Mes parents avaient fini par pouvoir s'acheter une caravane d'occasion. Nous n'allions pas au camping mais sur un terrain, sans le moindre confort, que louait une fermière à deux ou trois familles. Le travail saisonnier l'été, dans cette boutique, me permet, en complément des bourses que je reçois de l'État et d'autres petits jobs, de financer mes études.

Je me suis assumée, seule, dès l'âge de dix-huit ans.

Mes parents m'avaient laissée quitter le foyer mais à la seule condition que je me débrouille. Comment auraient-ils pu faire autrement ? Ils étaient dans l'incapacité de m'aider financièrement et il ne me serait pas venu à l'idée de leur demander quoi que ce soit. Je revois encore ma mère pleurer lorsque je suis partie pour « monter à la capitale »...

Voilà pourquoi, cinq ans plus tard, je dois appeler les patrons de la boutique pour leur dire que je commence un véritable emploi le 1er août, mais que je suis prête à venir travailler tout le mois de juillet. Ils acceptent, heureux et fiers pour moi. Au fil de ces années, ils sont devenus de vrais amis, et même davantage, ils font partie de ma famille. Je leur dois beaucoup. Je ne les ai jamais perdus de vue, ils sont venus me voir à l'Élysée, intimidés de me retrouver là, trente ans après que j'ai été vendeuse chez eux.

Lorsque le mois d'août arrive, l'angoisse monte. Serai-je capable d'être journaliste ? Non, jamais je ne serai à la hauteur. La politique m'intéresse, mais je ne suis pas spécialiste. L'équipe n'est pas encore au complet. Les locaux sont vides. Nous montons nous-mêmes les bureaux achetés chez Ikea. Je dois me familiariser avec l'informatique. Je n'ai jamais eu d'ordinateur. J'apprends vite. Nous pouvons commencer un numéro zéro. Puis arrive enfin le numéro un, celui du lancement. J'ai la chance de dégoter un scoop. Un projet secret de regroupement des élections

que prépare Pierre Joxe, alors ministre de l'Intérieur. Ce sujet fait la une du premier numéro. Le rédacteur en chef me félicite.
– J'ai juste eu de la chance.
– Un bon journaliste est un journaliste qui a de la chance, c'est tout.
Je n'oublierai jamais sa réponse, suivie d'une autre leçon, qui s'est inscrite en moi pour toujours :
– N'oubliez pas que vous n'existez qu'à travers votre journal et pas par vous-même.

Me voilà donc chargée de suivre l'Élysée, une partie du gouvernement et le parti socialiste, rien que ça. On me demande un papier sur « la résurgence des vieux courants au PS ». Je lève le nez et demande naïvement :
– C'est quoi, les courants ?
Le rédacteur en chef me regarde d'un air désespéré et réplique :
– Moi, jamais je ne vous aurais embauchée.

Je suis consciente de mes lacunes. Je ne sors pas de Sciences-Po Paris, il me manque tout. Je n'ai pas suffisamment de culture politique ni même de culture tout court. Je ne connais pas les codes de ce monde. J'ai vingt-trois ans et je n'ai jamais pris l'avion. Lorsque je l'avoue au directeur de l'aviation civile dont je suis chargée de faire le portrait, il me propose mon baptême de l'air. Le seul pays étranger où je suis allée est l'Allemagne pour un échange linguistique. Je n'ai jamais vu la Méditerranée. Enfant, je ne suis allée qu'une fois au théâtre et pour une comédie musicale avec Annie Cordy… Et si peu au cinéma. Le milieu parisien m'est tellement étranger. Lorsque le directeur du journal me disait que pour réussir, il fallait accepter « les dîners en ville », je ne comprenais pas de quoi il parlait. Dîner en ville, pour la provinciale que j'étais, consistait à prendre le bus pour se rendre au centre-ville. Et pas pour dîner : nous n'allions jamais au restaurant.

Mais je me mets au travail. J'essaie de comprendre et étudier les courants et les sous-courants : les chevènementistes, les mauroyistes, les poperenistes, les fabiusiens, les jospinistes et les… transcourants. L'un des leaders de ce mouvement se nomme François Hollande. Lui et ses amis sont proches de Jacques Delors, ils sont ouverts et iconoclastes. Je me sens politiquement en affinité avec cette bande.

Je possède encore quelques exemplaires de leur revue *Témoin.* J'ai également dans ma bibliothèque le premier livre de François Hollande cosigné avec Pierre Moscovici et publié en 1991, *L'Heure des choix,* avec sa dédicace : « À Valérie Massonneau qui, de spécialiste redoutée des arcanes politiques va devenir, à la lecture de ce livre, une autorité en matière économique. »

Avec François Hollande, nous nous connaissons depuis 1988. Vingt-six ans qu'il est dans mon univers. Je ne garde pas de souvenir de notre premier déjeuner. Lui oui, et il m'a suffisamment reproché depuis d'avoir oublié ce moment. C'était au restaurant de l'Assemblée nationale.

Ma mémoire est plus précise pour les rencontres de Lorient, organisées par les transcourants et en particulier Jean-Yves Le Drian, l'actuel ministre de la Défense. Ces journées de réflexion se déroulent chaque été en présence de Jacques Delors. Certaines années, elles ont lieu sous la pluie, Bretagne oblige, mais elles sont toujours joyeuses. La gaieté, c'est François qui la met, comme partout où il se trouve. Les journalistes présents ne sont pas très nombreux. Nous allons prendre un verre tous ensemble à la fin de la journée. J'aime son contact. François aime les journalistes et je ne tarde pas à devenir sa journaliste préférée.

En 1989, *Profession politique* change de propriétaire et un nouveau rédacteur en chef est nommé. Ma tête ne lui revient pas, je suis presque aussitôt débarquée. Il me prend pour une bourgeoise, fille de bonne famille.

Je profite de ce licenciement et des indemnités pour partir un mois aux États-Unis avec celui qui deviendra mon premier mari, Frank, mon amour de jeunesse. Il est temps que je découvre un peu le monde et je ne suis pas sans perspective. Quelques mois plus tôt, j'ai rencontré

Laurence Masurel, rédactrice en chef de *Paris-Match,* lors de la traditionnelle cérémonie de vœux aux journalistes, à l'Élysée. Ce jour-là, un confrère plus aguerri m'a prévenue :
– Reste avec moi, Mitterrand recevra après la cérémonie une quinzaine de journalistes dans un petit salon, je t'emmènerai avec moi.

C'est ainsi que je me retrouve avec l'élite de la presse à écouter avec dévotion le Président de l'époque. Laurence Masurel me repère quand je sors de ce salon avec le groupe de privilégiés et nous prenons contact. Je n'ai que vingt-quatre ans et pour la deuxième fois, François Mitterrand vient de changer mon destin. Comment imaginer que je serai un jour aux côtés d'un autre Président, que je foulerai moi aussi le tapis rouge, déroulé dans la cour d'honneur du palais de l'Élysée pour la cérémonie d'investiture ?

Ce jour-là, j'ai cherché à retrouver ce fameux salon attenant à la salle des fêtes. Je n'ai pas su le reconnaître avec certitude. Vingt-cinq ans étaient passés. Vingt-cinq ans ! Les années ont filé comme l'éclair. Je me suis mariée deux fois, j'ai divorcé deux fois. Et j'ai eu mes trois garçons, ma première préoccupation, ma plus belle réussite, ceux à qui je tiens le plus au monde.

Mon arrivée à *Paris-Match* en 1989 se fait sur la pointe des pieds. Laurence Masurel, à qui je dois énormément, me teste comme pigiste. Je ne vais pas encore à la rédaction. Elle a besoin, pour les nouvelles pages politiques de *Match,* d'une jeune reportrice pour aller « sur le terrain ». Et puisque j'ai quelques contacts à gauche, c'est plus naturellement vers le parti socialiste que je suis orientée. J'ai aussi quelques entrées à l'Élysée. Ce n'est pas fréquent pour une jeune journaliste.

Les plus anciens de *Match* en charge de la politique ne me voient pas arriver d'un bon œil. Six mois plus tard, le légendaire patron du journal, Roger Thérond, m'engage, au plus bas de l'échelle, comme rédactrice. Cela suffit pourtant à susciter des jalousies et alimenter tous les fantasmes avec des listes de noms improbables à qui je devrais mon embauche. Je découvre – déjà – les rumeurs de couloir. Je perçois la médisance. Cet emploi, je ne le dois qu'à Laurence Masurel.

Je ne connais pas Roger Thérond. Et quand je fais sa connaissance quelques mois plus tard, ce sera dans des circonstances désagréables. Sans contrat officiel, je suis ce qu'on appelle une « pigiste » régulière. J'envoie des articles qui paraissent – ou pas – dans le journal. L'un d'entre eux déplaît à Bernard Tapie. J'avais été invitée par un groupe de jeunes énarques, le club Mendès France, à assister à l'un de leurs dîners-débats. Leur invité vedette est Tapie. Lorsque j'arrive cinq minutes en retard, tout le monde est assis. Je suis accueillie par cette phrase du patron de l'OM :

– Et elle, vous n'allez pas me dire qu'elle est énarque, avec la gueule qu'elle a !

J'essaie de me faire toute petite. Je suis encore timide à l'époque. On me présente à lui comme journaliste, et j'ai toujours mon petit carnet à la main. Bernard Tapie ne se laisse pas impressionner :

– Pas de problème ! Avec moi, rien n'est off, j'assume tout ce que je dis.

L'homme politique évoque la responsabilité de Mitterrand dans la montée du Front national, son mépris pour les uns et les autres, ces ministres à qui il n'a rien à envier puisqu'il a un hôtel particulier plus grand que leur ministère, etc. C'est un festival « Tapie », formules et fanfaronnades. Je propose un papier à *Match* qui accepte aussitôt. Lorsqu'il est publié, Tapie appelle Roger Thérond et lui assure… que j'ai tout inventé. Laurence Masurel me convoque et me demande si je suis bien allée à ce dîner. Je me justifie et lui montre mon carnet de notes. Ça ne suffit pas.

L'affaire ne s'arrête pas, je suis appelée « chez Roger ». Au lycée, je n'ai jamais été convoquée par le proviseur, mais j'ai l'impression d'être un cancre qui vient chercher sa punition. Je doute de moi-même. Je préviens les jeunes énarques de la réaction de Tapie. Ils sont outrés, car ils ont lu mon article et confirment la justesse des propos rapportés. Cela me rassure avant mon entretien.

Je suis émue en entrant dans le bureau du « patron ». Il est impressionnant, parle en détachant bien les mots les uns des autres. J'ose à peine ouvrir la bouche.

– Laurence me dit que je peux vous faire confiance, mais je ne vous connais pas. Et si vous pouviez m'apporter la preuve de ce que vous mettez dans la bouche de Bernard Tapie, ce serait mieux.

C'est ma première épreuve de journaliste. Une nouvelle fois, j'ai de la chance. Le débat a été enregistré. Les deux responsables de ce club politique sont prêts à me soutenir et à apporter la cassette de l'enregistrement à Roger Thérond. Ils sont reçus à leur tour quelques jours plus tard. Ils ont la cassette en main mais le directeur de *Match* se contente de voir la preuve sans l'écouter. Il constate que je suis soutenue, que je fais mon travail sérieusement.

L'un des deux animateurs du club Mendès France monté au créneau pour moi s'appelle Jean-Pierre Philippe. Il est aujourd'hui le mari de Nathalie Kosciusko-Morizet et je lui suis toujours restée reconnaissante de m'avoir tiré de ce mauvais pas. Il avait compris que Bernard Tapie avait cherché à me faire virer plutôt que d'assumer ses propos. Au lieu de cela, c'est sans doute sa manipulation avortée qui m'a valu d'être intégrée officiellement à *Match* !

Je me souviens avoir raconté ensuite cette histoire à François Hollande, qui se méfie déjà de l'homme d'affaires.

À l'époque, nous nous croisons chaque semaine dans la fameuse salle des quatre colonnes de l'Assemblée nationale. Il fait partie des députés qui attirent les journalistes. Il sait extraire le sel de la vie politique comme personne. Il pense en journaliste, et peut vous faire changer d'angle d'article sans même que vous vous en rendiez compte.

Les années passent et nous sommes de plus en plus proches professionnellement. Début 1993, je m'absente quelques mois, le temps de mon premier congé maternité, après avoir rencontré à *Paris-Match* celui qui deviendra deux ans plus tard mon mari, Denis Trierweiler, rewriter au journal, traducteur et spécialiste des philosophes allemands. Il est très beau, intelligent mais sombre. Il vient d'un milieu encore plus défavorisé que le mien. Il a su, lui, rattraper cette culture pointue qui me manque tant. Mais il reste enfermé dans son monde, ses livres, sa philo, sa quête de savoir. Avant même d'entamer une histoire avec lui, j'avais rêvé qu'il serait le père de mes enfants, il avait fait le même rêve. Fonder une famille avec lui était une évidence.

Notre premier fils naît en janvier et je reprends mon travail directement rue de Solférino, au siège du PS, pour la soirée électorale des élections législatives, le 21 mars. Ce soir-là, le parti socialiste connaît une bérézina terrible. L'ambiance est mortifère. Je me demande ce que je fais là, dans cette atmosphère délétère alors que j'ai laissé derrière moi mon bébé qui n'a pas encore trois mois.

Comme la plupart des députés socialistes, François Hollande est balayé par la vague bleue. Il est sonné. Nous nous retrouvons à déjeuner, tous les deux, peu de temps après, au restaurant La Ferme Saint-Simon. Il s'ouvre à moi, me confie ses interrogations sur son avenir. La politique l'habite mais cet échec le secoue. Il se demande s'il ne va pas abandonner la Corrèze, une terre électorale trop difficile pour la gauche, en pleine région chiraquienne, et choisir une autre circonscription.

Ce jour-là, il me frappe par sa sincérité. Contrairement à son habitude, il ne surjoue pas la gaieté ni l'humour. Je me souviens de son regard perdu. C'est un moment rare dans la vie d'une journaliste politique, un échange vrai, confiant. Mais il n'y a aucune ambiguïté dans nos rapports. François Hollande n'a jamais de paroles ni de comportements déplacés à mon égard, contrairement à bien d'autres hommes politiques.

Il ne reste que cinquante-deux députés socialistes, pas de quoi occuper une journaliste à plein temps. La direction de *Paris-Match* me demande de « couvrir » davantage le gouvernement de Balladur. C'est ainsi que je rencontre toutes les personnalités de droite. Mon carnet d'adresses s'épaissit. Avec François Hollande, nous nous perdons un peu de vue.

Je prends le temps de faire un deuxième enfant. J'aime ces parenthèses qui rythment la vie d'une mère, c'est une expérience unique. Mon fils aîné était né en pleines élections législatives, le second arrive en plein scrutin européen de 1994. Pour une journaliste politique, ce n'est pas le calendrier idéal, mais ça m'est égal. J'aime mon métier, mais le sentiment maternel est plus fort. Je serai à nouveau enceinte deux ans plus tard.

J'ai une grande fratrie, nous étions tous rapprochés puisque mes parents ont eu six enfants en quatre ans et demi (oui, en quatre ans et demi !). Des jumelles et un enfant chaque année. L'exploit ne s'arrête pas là. Ma mère accouchait de son sixième enfant cinq jours après... ses vingt ans. Les photos noir et blanc de ma mère, si jeune, avec sa nichée autour d'elle et dans ses bras sont impressionnantes. Elle est belle et personne n'a eu meilleure mère que nous. C'est un modèle pour moi : elle a toujours tout assumé.

Sans voiture, elle faisait les courses, tous les jours, à vélo, pour neuf personnes, puisque ma grand-mère maternelle vivait avec nous. Elle nous emmenait à l'école, à trois sur sa bicyclette. Elle devait aussi s'occuper de mon père, handicapé et tyrannique. Il avait une jambe en moins, qu'il

avait perdue à l'âge de douze ans à cause d'un éclat d'obus en 1944. Nous avions évidemment toujours vu notre père avec son pilon de corsaire ou sa jambe de bois. Pour nous, il n'était pas handicapé. Il ne supportait pas le terme. Il avait le titre, plus glorieux, de grand invalide de guerre. Je me souviens d'une de mes amies qui, à l'école primaire, m'avait dit :
– Si j'avais un père comme le tien, je pleurerais tous les jours.

Je n'avais pas compris. Je ne comprenais pas pourquoi j'aurais dû pleurer.

Mon père est mort en 1986 sans que nous parlions avec lui de son « accident ». Lors de la campagne présidentielle, un journaliste de *Ouest-France* a réussi à retrouver un article sur ce jour tragique. Un automobiliste avait trouvé sur le bas-côté de la route trois jeunes garçons. L'un d'entre eux était mort, les deux autres blessés. Mon père était inconscient. Il a pu être sauvé, mais pas sa jambe. Il a sans doute laissé également dans ce fossé sa joie de vivre. Le jour où j'ai lu cet article, juste une brève, j'ai réalisé quel avait été le drame de mon père. Et j'ai pleuré toute seule, en pensant à ce qu'il avait subi.

À l'école, au moment de remplir la case « profession des parents », nous devions inscrire la mention « GIG » (grand invalide de guerre) pour le père et « sans profession » pour la mère. Elle se nichait là, notre différence. Nos parents ne travaillaient pas. Ils étaient à la maison. Pas question de traîner après l'école. Nous n'avions pas beaucoup de liberté.

À peine rentrés, après le goûter, le casse-croûte de confiture ou de faux Nutella, nous nous installions tous autour de la table d'une pièce que nous appelions « la salle familiale ». Nous y faisions nos devoirs pendant que ma mère s'installait au bout de la table avec son tricot, toujours prête à nous faire réciter nos poésies ou revoir nos tables de multiplications.

Ma mère n'avait que son certificat d'études et nous a accompagnés autant qu'elle l'a pu. Je l'admirais mais je m'étais juré de ne pas avoir la même vie qu'elle. Elle était l'esclave de toute une famille, ne s'accordait jamais le moindre temps pour elle. Elle supportait souvent plus que ce qu'il est possible d'imaginer.

Elle avait en elle une force et un désir d'indépendance incroyables. Elle passa son permis de conduire en cachette de mon père. Nous étions dans la confidence pour la couvrir pendant ses absences. Quand elle l'obtint, non seulement mon père accepta d'être conduit par elle, mais ils firent l'acquisition d'une 404 familiale, avec trois rangées de sièges : les plus petits à l'arrière et le plus petit des petits au milieu. Ce fut le début des promenades du dimanche. Des visites de châteaux où nous pouvions entrer gratuitement grâce à la carte « famille nombreuse ».

Ma mère posa un autre acte capital, toujours à l'insu de mon père : elle chercha un travail. Nous étions en 1982. J'avais déjà dix-sept ans. Elle postula pour un emploi de caissière à la patinoire d'Angers et obtint la place. Mon père accepta mal cette prise d'indépendance. Elle avait pourtant déjà travaillé de temps en temps, le samedi, sur le marché, pour aider l'un de mes oncles sur son stand de fleuriste. Mon plus grand plaisir était de la rejoindre, de l'aider à emballer les bouquets. Mais là, il s'agissait d'un emploi à plein temps avec des horaires particuliers, très tard certains soirs, mais aussi tous les week-ends.

Sa vie, comme celle de beaucoup de femmes, devint une course contre la montre. Sauf qu'elle avait six enfants et un mari handicapé que l'âge et la maladie rendaient de plus en plus tyrannique. Elle entrait en courant pour préparer un dîner qu'elle n'avait pas le temps de prendre avec nous. Elle s'asseyait cinq minutes pour avaler trois fois rien directement dans un Tupperware. Avec mes trois sœurs, nous l'aidions. Mon père avait exempté de tout travail domestique mes frères, les deux garçons, en dehors de la sortie des poubelles.

Les études des garçons valaient plus que celles des filles. Ma mère m'encouragea à ne pas répéter ce scénario, à m'échapper de cette vision du rôle de la femme. Dès le collège, je travaillais chaque dimanche matin dans une boutique nommée « Tout et Tout ». Je gagnais 50 francs pour ces quatre heures de travail et c'est ainsi que j'ai pu acheter ma liberté en faisant l'acquisition d'une Mobylette d'occasion.

Au lycée, je cumulais les cours avec les petits jobs. Lors de mon année de terminale, j'ai travaillé comme hôtesse d'accueil au palais des congrès. Dans mon uniforme bleu marine et blanc, je plaçais les gens qui, eux, avaient la chance « d'aller au spectacle ». J'en profitais aussi.

L'injustice, je l'ai ressentie très tôt. Lorsqu'une de mes camarades me confie que ses parents ne veulent plus que je vienne la voir chez elle : je n'habite pas du bon côté du boulevard. Je ne suis pas une bonne fréquentation, pas dans la bonne catégorie sociale. Je suis première de la classe mais je n'ai pas le bon profil. J'ai très mal vécu cette histoire, elle m'a poursuivie tout au long de ma vie. J'exècre toute forme de racisme, mais l'on oublie trop souvent les ravages du racisme social.

J'ai quitté Angers, ma ZUP nord et ma famille le jour même des résultats du bac. Le lendemain, je m'inscrivais à la fac de Nanterre en histoire. Je passai d'une vie de province à la vie parisienne, d'un lycée classé monument historique à cette fac de banlieue haut lieu de Mai 68, et de la vie chez mes parents à celle d'un couple bohème dans une chambre de bonne. Mon père est mort deux ans plus tard.

François Hollande a connu mon histoire assez tôt. Il est très doué pour faire parler les autres alors que c'est moi la journaliste qui était censée obtenir ses confidences politiques. Dans ces années où nous nous côtoyons de loin en loin, il se moque parfois de moi gentiment et me traite de Cendrillon. Il me trouve différente de mes confrères et tellement peu sûre de moi. Je reste souvent en retrait, ce qui me vaut la réputation de froideur et de fille hautaine qui ne m'a pas quittée. À l'Assemblée ou à *Match,* on me prend pour une « bourgeoise » et ça m'amuse, moi qui viens de « Monplais' » dans la ZUP nord d'Angers.

La différence est pourtant flagrante, je ne suis pas comme eux. Très tôt, je me suis habillée différemment des jeunes gens de mon âge. Je ne veux pas faire pauvre, je veux me distinguer. Longtemps, ma plus jeune sœur et moi n'avons porté que les vêtements de nos sœurs aînées. Nous avions des « vêtements du dimanche », des pantalons de flanelle qui grattaient, retaillés dans ceux de mon père par ma grand-mère.

L'un de mes pires souvenirs est d'avoir dû me chausser des « godillots » de mon frère pour aller à l'école primaire. Mes chaussures avaient dû lâcher ce jour-là, ma mère n'avait pas trouvé d'autre solution. Je refusai de partir à l'école ainsi. Je n'ai pas eu le choix, j'ai fait le chemin en pleurant. Et je suis restée le temps de la récréation assise dans un coin, sans bouger, le cartable sur les pieds.

À la sortie du Conseil des ministres ou dans la salle des quatre colonnes de l'Assemblée, mes confrères sont en jean pour la plupart d'entre eux, moi je porte des tailleurs. Déjà à l'université de Nanterre, je mets des jupes et vestes rétro que je chine aux puces de Saint-Ouen. Cette allure ne fait que renforcer mon image de dureté et de jeune femme dédaigneuse. Peu d'entre eux osent m'approcher.

Peu à peu, je me fais des amis dans le métier. Certains de mes confrères se servent de moi comme « appât », selon leur propre expression. J'intègre un groupe de journalistes, uniquement composé de garçons. Nous invitons ensemble des hommes et femmes politiques à déjeuner. Nous sommes tous débutants et nous unissons nos forces.

L'un de ces déjeuners me sert de leçon à tout jamais. Nous sommes à la veille d'un remaniement et Bruno Durieux, un centriste barriste, nous jure qu'il n'entrera jamais dans un gouvernement de Mitterrand. Trois jours plus tard, il devient ministre. Je l'appelle aussitôt pour lui dire :

– Je vous remercie, je sais maintenant, grâce à vous, qu'il ne faut jamais croire un homme politique !

J'aurais dû m'en souvenir.

En 1997, quand Lionel Jospin devient Premier ministre, François Hollande devient premier secrétaire du parti socialiste. Nous sommes de plus en plus proches, complices. Il me fait rire. Je suis épatée par son intelligence, sa vivacité. Il va tellement vite dans ses réflexions. À la moindre question, la réponse fuse, limpide, avec toujours une pointe d'esprit.

Quelques-uns de mes confrères s'amusent de cette relation privilégiée. À l'Assemblée, ils se glissent à mes côtés, convaincus que c'est là que le premier secrétaire viendra faire quelques confidences. Cela ne manque jamais d'arriver. Il lui arrive souvent de traverser l'Assemblée pour rejoindre mon petit groupe sous les clins d'œil de mes confrères.

Le lundi, les jours de bouclage à *Paris-Match,* il m'appelle souvent sans que j'aie cherché à le joindre, prétextant que j'aurais peut-être besoin d'information. Il me téléphone aussi chez moi le samedi après-midi lorsqu'il est en Corrèze. S'il me donne des tuyaux, il m'arrive aussi de l'informer car je connais bien le parti socialiste.

Les années passent et notre entente se confirme. Un week-end d'élection, je suis chargée de le suivre avec un photographe, en Corrèze. Le samedi soir, il dîne avec nous. Il doit se rendre ensuite à une soirée dansante de personnes âgées. Il décide de monter dans notre voiture plutôt qu'avec son chauffeur.

Mon photographe ne veut pas conduire pour être prêt à descendre au plus vite, dès qu'il y a une image à prendre. Je me retrouve au volant. À ce moment-là, j'ai peu l'habitude de conduire. « Hollande », que j'appelle ainsi et que je vouvoie toujours à cette époque, s'installe à mes côtés. Mes talons sont trop hauts et vont se coincer sous les pédales. En moins de trois secondes, je retire mes escarpins et les lui colle dans les mains, il n'en est toujours pas revenu.

Une fois sur place, il paie de sa personne, invite les petites grands-mères à danser. Je l'observe d'un œil amusé et lui me regarde, désabusé. Il a dans ses bras une dame de plus de quatre-vingts ans. Je sens bien que ce n'est pas ce dont il a envie à ce moment-là.

Les années Jospin nous soudent encore davantage. Nos discussions politiques sont sans fin. Fin juillet, nous avons l'habitude de déjeuner, pour qu'il me détaille ses projets de rentrée.

En 2000, il m'invite dans les jardins de la Maison de l'Amérique latine. Je suis convaincue que Jean-Pierre Chevènement va démissionner du ministère de l'Intérieur, à cause d'un différend sur la Corse avec Jospin. Hollande est premier secrétaire du PS, et n'y croit pas. Les événements me donneront raison un mois plus tard à peine.

Lui et moi parlons de tout, nous rions. Soudain, je vois arriver Ségolène Royal, fonçant vers nous. Je préviens

François qui tourne le dos à l'entrée du restaurant. Il croit à une plaisanterie, jusqu'à ce qu'elle s'installe à notre table. Elle est glaciale.
– Je vous y prends, j'espère que je ne vous dérange pas.
François est incapable d'émettre le moindre mot. C'est moi qui lui réponds.
– Nous parlions du Tour de France.
– Arrêtez de vous foutre de moi !
– Pas du tout, c'est vrai. Et d'ailleurs, nous ne faisons rien de mal, nous ne sommes pas à l'hôtel, que je sache.
Mon aplomb la bluffe autant qu'il l'agace. Elle se tourne vers lui.
– Et moi, tu ne m'emmènes jamais dans des endroits pareils.
Le ton monte. Le sien seulement. François est toujours silencieux. Gêné de cette scène. Avant qu'un véritable esclandre éclate, elle se lève et part aussi vite qu'elle était arrivée.
François balbutie trois mots :
– Vous savez ce n'est pas toujours facile pour moi.
– Vous devriez surtout y aller et la rattraper.

Il me remercie et part. Je me retrouve seule à la table du restaurant, sonnée par le côté ubuesque de la situation. Avec la note. Une addition que je ne finirai jamais de payer. Cette irruption et ces soupçons me paraissent délirants.

Aujourd'hui, je comprends Ségolène Royal. Son instinct flairait un danger que moi-même je ne sentais pas.

La campagne présidentielle approche. Nous continuons à nous voir de manière strictement professionnelle. Enfin, je m'en persuade. Il me propose de m'aider à écrire le récit de la campagne, de nous rencontrer régulièrement pour qu'il me raconte les dessous de la vie politique. Je refuse aussitôt. Je sens que je dois garder une certaine distance. J'aime sa présence, il aime la mienne. Notre complicité n'est pas tout à fait normale et je sens qu'il faut me préserver.

Nous nous voyons peu durant cette période mais nous nous téléphonons souvent. Je suis de très près la campagne présidentielle de Lionel Jospin et parcours la France dans le sillage du candidat. Je noue pendant cette période de belles amitiés avec certains de mes confrères, parmi lesquels Patrice Biancone, qui m'accompagnera à l'Élysée. François Hollande nous envie de vivre ces moments-là, l'excitation qui accompagne le favori de l'élection présidentielle. Lui tient ses meetings de son côté, peu de journalistes le suivent. Il n'est présent que lors des grands rassemblements régionaux du candidat socialiste, où je le croise.

Le 21 avril 2002, Lionel Jospin est éliminé au premier tour de la présidentielle, au terme duquel Jean-Marie

Le Pen est qualifié derrière Jacques Chirac. C'est le séisme. Tard le soir, à l'Atelier, le siège de campagne est une image de la désolation. J'essaie de cacher mes larmes, en vain. Je suis emportée par la même vague de désespoir et de colère que ceux qui m'entourent.

La foule des militants désespérés s'est éparpillée. Nous partons avec quelques journalistes prendre un verre à côté. Il est plus de minuit. François Hollande anime la soirée en nous faisant tous rire. Devant le tragique de la situation, il opte pour l'humour. Comme à son habitude. C'est son bouclier et son masque.

Nous évoquons le titre que j'avais trouvé pour l'un de mes articles sur le candidat défait : « Pour Jospin, ce sera l'Élysée ou l'île de Ré ». Contrairement à nombre de mes confrères, je n'ai pas été étonnée par l'annonce de son retrait de la vie politique dès le soir de sa défaite. Hollande est épaté par ma clairvoyance. Soudain, les rires cessent. Ségolène Royal vient d'arriver. Il devient aussitôt un autre. Et part avec elle. Son dernier regard est pour moi et cela me trouble.

Le 21 avril 2002 est un traumatisme pour ma bande d'amis journalistes, comme pour tous les membres du parti socialiste. Hollande est en première ligne. Il m'accorde sa première interview pour tirer les enseignements de ce séisme. Nous sommes tous les deux dans son bureau. Il s'approche très près. Je m'arrange pour changer de place. Il me rappellera souvent cette scène et ma gêne.

Nous continuons à échanger beaucoup. C'est à cette époque que commencent à circuler les premières rumeurs sur une liaison entre nous. Je ne m'en inquiète pas. Chacun connaît ma vie, mes enfants, mon mari au journal. La proximité entre François Hollande et moi est ancienne, et il n'y a pas de changement.

Je ne perçois pas encore précisément ce champ électromagnétique qui s'active entre nous deux lorsque nous sommes en présence l'un de l'autre. De l'extérieur, il est évident qu'il se passe quelque chose. Mais je suis aveugle, inconsciente du sentiment amoureux qui est en train d'éclore. Une franche camaraderie, oui. Une amitié teintée de séduction entre un homme et une femme, c'est possible. Mais rien de plus.

Quelque temps plus tard, alors que je suis dans la salle des « quatre col' » à l'Assemblée, Ségolène Royal vient à ma rencontre :

– Je voudrais vous voir.
– Bien sûr, quand ?
– Samedi.
– Non, pas samedi, je serai avec mes enfants, je ne travaille pas.
– Alors, lundi 9 heures.

Le ton est péremptoire.

Le jour de la rencontre, dans son bureau de l'Assemblée, elle m'accueille froidement :
– Vous savez pourquoi j'ai voulu vous voir ?
Elle ne m'intimide pas, je n'ai rien à me reprocher :
– Je crois que j'ai une petite idée.
Elle rétorque aussitôt :
– Alors vous êtes au courant de la rumeur.

Je lui réponds que oui, que des rumeurs, il y en a toujours eu sur tout le monde et qu'il y en aura toujours, surtout entre hommes politiques et journalistes, et que ce n'est pas une raison pour lui donner du crédit.

Elle semble étonnée de mon aplomb et de mes certitudes, se radoucit un peu, me demande comment faire pour lutter contre cette fausse information. Je lui suggère d'organiser un dîner à quatre, avec mon mari, François Hollande et elle, dans un endroit en vue. Elle ne rejette pas l'idée. Mon mari est au courant de toute l'affaire, je lui raconte tout. Je n'ai rien à lui dissimuler.

Le lendemain, je pars en Inde trois jours, pour couvrir le voyage officiel de Jean-Pierre Raffarin devenu Premier ministre. À mon retour, mon mari m'avoue avoir reçu un appel de Ségolène Royal qui a demandé à le rencontrer. J'estime, cette fois, qu'elle dépasse les bornes. Je file au journal et l'appelle à mon tour :
– À quoi jouez-vous ? C'est vous la femme publique, pas

moi. C'est vous qui prenez des risques en accréditant une rumeur, pas moi. Voyez-le si cela vous fait plaisir, vous verrez, c'est un homme charmant.

Jusque-là, l'idée d'une histoire sentimentale avec François Hollande ne m'a pas effleurée. L'irruption de Ségolène Royal, qui redoute par-dessus tout cet amour, vient sans doute de le rendre possible à mes yeux, mais je ne le sais pas encore. Tout est encore flou dans mon esprit.

Au moment où j'écris ces lignes, Ségolène Royal vient d'entrer dans le gouvernement de Manuel Valls, en tant que ministre de l'Écologie. J'ai un flash. Comme le rappellent en boucle les chaînes d'information, elle avait déjà obtenu ce portefeuille il y a vingt-deux ans, dans le gouvernement de Pierre Bérégovoy. C'était l'année où elle avait mis au monde sa plus jeune fille, Flora.

J'étais moi-même enceinte de mon premier fils. *Paris-Match* me demande d'obtenir un reportage sur elle à la maternité. Je sais que François Hollande et son attachée de presse à elle y sont opposés. Je réponds au journal qu'il ne faut pas y compter, et qu'elle va répondre non. Je rentre chez moi en fin de journée quand le téléphone du domicile sonne. Au bout du fil, mon rédacteur en chef est furieux :

– Tu as intérêt à obtenir ce reportage car je te signale que Ségolène Royal vient de faire entrer les caméras de TF1 dans sa chambre à la maternité.

Je n'en reviens pas. Je m'exécute, j'appelle le standard de l'hôpital qui me la passe sans le moindre filtre. Je lui fais la proposition de photos, elle accepte en échange d'une interview sur l'environnement. La photo sera prise sans moi et le texte sera réalisé sans que nous nous rencontrions, par fax. Je ne me suis pas immiscée dans son intimité pour lui voler le père de ses enfants comme cela a été écrit par la suite, lorsque toute notre histoire sera réécrite, tordue, réinterprétée à l'envi. Comment imaginer un plan aussi machiavélique, alors que j'attends mon premier enfant et que j'ai l'impression de ne jamais avoir été aussi heureuse ?

L'année suivante, je mettrai au monde mon deuxième garçon, puis me marierai avant la naissance du troisième. Je suis dans la construction de ma vie privée comme de ma carrière professionnelle. Je n'ai pas d'autres projets et François Hollande ne fait pas partie de mes rêves. Je change même de nom. Je veux m'appeler Trierweiler, montrer que j'appartiens à mon mari. Ces attaques m'ont blessée, je l'avoue, car elles touchent à ce que j'ai de plus intime, de plus précieux.

Alors que Ségolène Royal s'inquiète, la nouvelle débâcle du parti socialiste me renvoie un peu plus sur la droite, comme à l'époque de Balladur. On me charge plus souvent de suivre les voyages du président Chirac. Au début, je sens que la cellule de communication de l'Élysée se méfie de moi. Peu à peu, la confiance s'établit. Je n'abandonne pas pour autant le PS même si les « pages jaunes » de *Match,* celles qui sont consacrées à la politique, s'y intéressent peu.

François Hollande et moi déjeunons de temps à autre, seuls ou avec d'autres journalistes. Je suis partie vivre en dehors de Paris avec ma famille et il n'est pas rare qu'il me raccompagne « par téléphone » ; nous bavardons tout le long du chemin même lorsqu'il est très tard. Nous ne sommes jamais à court de sujets.

L'actualité reprend avec l'approche des élections régionales en 2004. Hollande gagne ses galons, après la victoire du PS à tous les scrutins. *Le Point* en fait son « homme de l'année ». Je parcours des kilomètres avec lui pendant cette campagne, où il est en première ligne. Ce sera la seule fois où j'écrirai un article positif sur lui. Je me souviens de la remarque d'un rédacteur en chef de *Match :* « Maintenant, tu colles Hollande. »

Fin d'après-midi, rue Cauchy, à quelques jours du printemps 2014. Comme chaque jour ou presque depuis mon départ de l'Élysée, je suis chez moi. Le soleil réchauffe le salon, la baie vitrée est grande ouverte. Je travaille, l'ordinateur posé sur les genoux. Je reçois un appel de mon ancien officier de sécurité, il a un pli à me livrer. Il arrive trente minutes plus tard. C'est un magnifique bouquet de roses blanches et roses, comme je les aime. Elles viennent de François. Il n'a pas oublié la date. Le matin même, il m'a envoyé un message : « Il y a neuf ans, le baiser de Limoges. »

S'il n'y avait pas eu les photos du Président casqué, Julie Gayet, le communiqué, toute cette folie, oui, cela aurait fait neuf ans. L'histoire est morte avant ses neuf ans, mais si notre amour devait porter un nom, ce serait celui-ci : « Le Baiser de Limoges ». C'est notre légende à nous. C'était un jeudi, le 14 avril 2005. Cette date aura toujours un sens pour moi.

Neuf ans plus tard, alors qu'il n'y a pourtant plus d'anniversaire à fêter, j'accepte de dîner avec lui pour la seconde fois depuis la séparation. Malgré son insistance, je ne veux pas de l'intimité de la rue Cauchy. Nous passons la soirée dans le restaurant italien de notre quartier, où nous allions avant, quand nous vivions ensemble. Il n'y a plus de Président, ni de première dame, plus de griefs ni de récriminations, mais un mélange poignant de joie et de tristesse. L'impression d'un immense gâchis. D'un irréparable gâchis. Ce soir-là, 279 jeunes Nigérianes, âgées de douze à dix-sept ans, se font enlever par la secte islamiste Boko Haram. Nous l'apprendrons le lendemain.

François me confie qu'il regrette de n'avoir pas su protéger notre intimité. Ce n'est pourtant pas faute de m'être battue de toutes mes forces pour la préserver. Mais il permettait tout, à tout le monde. Il ne sait pas mettre la distance nécessaire. Même notre salle de bains est devenue un jour un lieu de réunion. En fin de journée, j'ai vu Claude Sérillon y suivre le Président, après avoir traversé notre chambre. Je l'ai mis dehors, outrée par tant d'indécence.

Il arrivait aussi à ses officiers de sécurité de se glisser entre nous deux et de se mêler à la conversation. Combien de fois ai-je dû leur demander de nous laisser un peu d'espace lorsque nous nous promenions ? Parfois je préférais rentrer plutôt que subir leur présence. J'ai aussi surpris l'un des « porteurs de croissants » assis sur notre lit, au motif qu'il réglait les chaînes de télévision.

Lors de ce dîner doux-amer, je rappelle à François qu'il arbitrait toujours en ma défaveur à chaque fois que je tentais de nous protéger.

– C'est moi qui avais tort, j'aurais dû t'écouter et comprendre ce qui était précieux.

« Le Baiser de Limoges » est une longue histoire. Tout a commencé par une fâcherie. Un matin, j'apprends par inadvertance à *Paris-Match* que François Hollande et Nicolas Sarkozy viennent dans les locaux pour être photographiés ensemble et faire la une du journal, avec un entretien commun en vue du référendum sur la Constitution européenne.

Je tombe des nues. Personne ne m'a prévenue, ni ma rédactrice en chef, ni lui. J'ai appris qu'il m'en veut de ne pas l'avoir accompagné dans un déplacement au Liban, mais tout de même, une photo et une interview de cette importance dans mon journal, sans m'en parler, alors que nous sommes si proches.

Au même moment, son attachée de presse, Frédérique Espagnac, m'appelle :

– Valérie, qu'est-ce que tu lui fais faire comme connerie ? Une photo avec Sarkozy, c'est une folie.

Je lui explique que je n'y suis pour rien, que je viens moi-même de l'apprendre. Elle me demande de le convaincre de renoncer. J'essaie. Je l'appelle. Il m'envoie balader :
– Il fallait vous réveiller plus tôt.

Je ne comprends pas sa réaction, encore moins sa stratégie. Quel intérêt a-t-il à s'afficher avec son rival politique numéro un, alors que justement les adversaires du traité européen les accusent de collusion ? Je prends mes cliques et mes claques et je pars avant qu'il arrive.

Je suis au volant de ma voiture, à vive allure sur l'autoroute pour rentrer chez moi, et je ne vois plus rien tellement je pleure. Ces larmes sont incompréhensibles. Sont-elles celles de la journaliste qui vient de se faire « piquer son sujet » ou celles d'une femme qui se sent trahie ? Déjà, la trahison… Je suis toujours en larmes en arrivant chez moi. Lui a demandé à visiter tout le journal, cantine comprise, espérant m'y trouver.

Le lendemain, il tente de me téléphoner, je lui raccroche au nez. Chaque jour, le scénario se répète. Son attachée de presse tente à son tour de me joindre. J'accepte de lui parler et la conversation prend un tour intime qui me sidère. À un moment, elle n'y tient plus et m'avoue :
– Valérie, tu n'as toujours pas compris qu'Hollande est fou amoureux de toi. Parle-lui, je ne l'ai jamais vu aussi malheureux.

Je sais que je lui plais, notre complicité est évidente, elle est comme une amitié particulière, un peu appuyée, qui flirte parfois délicieusement avec l'ambiguïté. Mais amoureux, non, cela me semble absurde, interdit.

Cette phrase est un choc. Je suis sans voix. Une semaine s'écoule sans le moindre contact. La situation devient compliquée à gérer. J'hésite à demander à être déchargée du suivi du parti socialiste. Je ne parviens pas à m'y résoudre. Je finis par accepter un déjeuner de réconciliation. Nous parlons pendant des heures. À tel point qu'il rate son train prévu dans l'après-midi.

Une semaine plus tard, je consens à un déplacement avec lui. Nous sommes le 14 avril, pour un meeting qui doit avoir lieu dans le centre de la France, près de Châteauroux je crois, mais la ville n'est pas très claire dans mes souvenirs. En début d'après-midi, nous partons de Paris. Je m'installe à l'arrière de la voiture à sa droite. Il n'est pas comme d'habitude. Il plaisante moins. Il y a des silences, une certaine gravité. La voiture conduite par son fidèle chauffeur, Rachid, file à vive allure. François Hollande se rapproche et me prend la main. Je suis mal à l'aise et pourtant je ne la retire pas. Une voix parle en moi-même. Elle me dit : « Tu es folle, il est encore temps, arrête, enlève ta main. » Je n'en fais rien.

Nous parlons beaucoup. Pas de nous, mais de politique, de cette couverture de *Match* avec Sarkozy qui a fait tant de dégâts. À l'arrivée, nous faisons comme si de rien n'était. Il tient son meeting, drôle, brillant comme toujours. Il défend le « oui » pour le référendum européen. Nous sommes sur la même ligne. J'ai confiance, alors qu'il est plus sceptique sur les résultats de ce scrutin, qui doit se tenir en décembre.

C'est justement le soir où Jacques Chirac participe à une émission sur TF1, face à des jeunes, pour défendre l'idée européenne. Nous assistons avec les élus à la fin de l'émission. Le résultat est catastrophique, Chirac semble totalement déconnecté.

Puis nous reprenons la route. Mon hôtel est à Limoges, lui doit poursuivre jusqu'à Tulle. Il me reprend la main. Nous nous arrêtons une heure plus tard à Limoges. Il me propose de l'accompagner à Tulle. Je refuse, je dois repartir très tôt le lendemain matin pour un rendez-vous à Paris. Je sais aussi ce que signifie « l'accompagner à Tulle ».

Pour ne pas nous quitter trop rapidement, nous allons dans un café. Il prend une gaufre et moi une crêpe, accompagnée pour chacun d'un verre de vin. Pour la première fois, nous évoquons notre relation. Notre attirance. À demi-mot, comme toujours avec lui. Il me laisse deviner qu'il ne cherche pas une aventure, qu'il éprouve de véritables sentiments. Je lui avoue ne pas être insensible non plus. Mais qu'une histoire entre nous est impossible, trop dangereuse pour lui comme pour moi. Non, c'est impossible. Ni lui ni moi ne sommes libres.

Il doit reprendre la route vers Tulle. Nous devons nous quitter là. Enfin, c'est ce qui est prévu. Au moment de nous dire au revoir, notre relation bascule sans que ni l'un ni l'autre ne comprennent ce qui vient de se passer. Quelque chose d'indicible, digne d'une scène de cinéma. Un baiser comme je n'en avais jamais reçu jusqu'alors. Un baiser retenu depuis longtemps, en plein carrefour.

François ne reprendra pas la route de Tulle ce soir-là. Le lendemain matin, très tôt, il m'accompagne à la gare. Nous venons de vivre un moment unique et je peine à l'appeler par son prénom, autant qu'à le tutoyer. Nous sommes à nouveau entourés d'un halo de pudeur.

Port-au-Prince, mardi 6 mai 2014.

Je m'éveille dans la moiteur de ma chambre d'hôtel, après avoir dormi quelques heures à peine. Je suis arrivée la veille, avec une délégation du Secours populaire pour mettre en lumière les réalisations effectuées sur place par ce mouvement, dont les actions à l'étranger sont peu connues. Quand le Secours pop' m'a proposé ce déplacement, j'ai accepté avec joie. En plus de renouer avec le terrain, cette mission me permet d'être absente de Paris, au moment de l'anniversaire de l'élection – deux ans, déjà ! –, ce sera une bonne chose. Je suis comme une accidentée qui cherche à éviter tout ce qui lui rappelle l'accident.

J'accepte le principe d'une interview sur Europe 1 pour parler de l'association. Mais lorsque l'équipe du Secours populaire fixe le rendez-vous pour le mardi, je ne réalise pas tout de suite qu'elle coïncide avec le 6 mai, deux ans jour pour jour après l'élection de François. Lorsque je m'en rends compte, l'avant-veille, je l'en avise. Il ne me demande pas de l'annuler ni de reporter. Il ne me dit pas non plus qu'il a prévu de parler lui aussi sur RMC ce matin-là. Je l'apprendrai le lendemain par une dépêche.

Sur place, Paris me semble tellement loin ! Les abris de fortune se chevauchent les uns les autres, soit des tentes, soit des cabanes faites de bric et de broc, de planches et de tôles. Trois cent mille Haïtiens sont toujours sans logement depuis le séisme. Il est 4 heures du matin, heure française, lorsque j'enregistre l'interview pour Europe 1. Dix minutes avant, je sens monter le stress. On me propose un rhum pour me détendre, je préfère décliner. J'ai travaillé la veille à ce que je vais dire, et préparé des réponses. Je me doute qu'il y aura dans le lot des questions d'ordre privé.

Le journaliste commence par Haïti. Et au bout de quelques minutes, il glisse des questions sur François Hollande. Je suis fair-play et lui souhaite bonne chance pour les trois années qui lui restent. Je ne veux pas gâcher cet anniversaire politique, ni occulter le but de ma visite, qui est d'aider le Secours populaire.

Quelques heures plus tard, à mon réveil, je consulte les dépêches, comme à mon habitude. Je découvre, pétrifiée, sa déclaration concernant ce que la presse appelle le « Gayetgate ». À la question « Avez-vous été digne ? », il répond :

– Vous ne pouvez pas ici laisser penser que je n'aurais pas été digne. Jamais je ne me suis livré à je ne sais quelle facilité, confusion, jamais je n'ai été dans une forme de vulgarité ou de grossièreté.

François Hollande est un politique, maître de ses paroles. Il avait préparé sa réponse. Je suis dévastée par ses mots. Depuis notre séparation, il y a déjà trois mois, il me supplie de reprendre notre histoire, notre vie commune. Il a cherché à me voir. J'ai accepté. Il m'a proposé de dîner dans ce restaurant que nous aimions. J'ai dit oui.

Depuis trois mois, il m'assure s'être trompé, s'être lui-même perdu, il répète qu'il n'a toujours aimé que moi, qu'il a très peu vu Julie Gayet. Quinze jours après le communiqué à l'AFP, il me disait regretter la séparation. Quatre jours encore et il me parlait de nous retrouver. Il me fait porter des fleurs à tout bout de champ, y compris lorsque je suis à l'étranger. Il me fait des déclarations passionnées. J'y ai parfois été sensible. Son retour de flamme m'a troublée. La porte s'est sans doute entrouverte et j'ai eu un instant la tentation de céder à nouveau. Mais elle se referme très vite. J'ai retrouvé ma liberté et elle me plaît, je n'arrive pas à lui pardonner. La rupture a été trop brutale.

Cette phrase qu'il vient de prononcer à la radio, pleine de négations comme des aveux dissimulés, ces mots qui n'expriment pas une once de regret, me font saigner à nouveau. François veut me récupérer mais, tout à son orgueil, il n'est même pas capable d'exprimer le début d'un remords. Pas le moindre début de réparation publique. Il me l'avait pourtant promis. Prononcer mon prénom est toujours aussi difficile pour lui devant les autres.

« Digne », a-t-il dit ? Dignes, les photos volées d'un Président à l'arrière d'un scooter et gardant son casque à l'intérieur de l'immeuble pour ne pas être reconnu ?

Dignes, son indifférence, ma mise à l'écart à l'hôpital, les instructions venues d'en haut pour que l'on augmente ma dose de calmants ? Digne encore ce communiqué de répudiation, froid comme un décret, dicté à une journaliste ?

Je ne sais pas s'il mesure la déflagration qu'il provoque en moi avec cet entretien. Je suis accablée comme au jour le plus noir de notre rupture. La lame est enfoncée encore plus profondément. L'amertume et la colère creusent la plaie.

Je croyais être parvenue à me reconstituer, durant ces derniers mois. Son déni me plonge dans le plus grand désarroi. Me voilà à nouveau en larmes, alors que dans moins d'une heure je dois retrouver l'équipe du Secours populaire pour aller visiter l'école de Rivière froide. J'étais parvenue au bout du monde à l'oublier et je suis rattrapée par le chagrin.

Je lui envoie quelques SMS pour lui dire ce que je pense. Il me répond qu'il ne comprend pas, qu'il trouvera les mots justes la prochaine fois. Toujours la prochaine fois... Combien de promesses m'a-t-il faites, jamais tenues ? Les mots, les paroles n'ont-ils aucune valeur pour lui ?

Ce matin, il vient de me perdre définitivement.

Encore une fois, il me faut sécher mes larmes, masquer ma peine et me concentrer sur ce que je suis venue faire en Haïti. J'ai les yeux gonflés quand je descends rejoindre les autres. Le manque de sommeil servira aisément de prétexte. Et j'ai ma réserve d'anticernes.

Après une heure et demie de route, bringuebalés dans un quatre-quatre à travers la misère haïtienne, au bout d'une piste improbable, nous finissons par accéder à l'école financée par le Secours populaire. Au milieu des enfants haïtiens, je suis transportée dans un autre monde. Loin de la politique, de ses trahisons et de ses mesquineries. Tant de gens autour cherchent seulement à survivre ! Leur pauvreté rend dérisoires nos peines d'amour et mon chagrin.

Au lendemain du séisme, le Secours populaire a pu faire construire une école accueillant 1 500 enfants. Ceux-là sont chanceux, ils sont sauvés.

Lorsque nous descendons à la station d'eau potable, une bande de gamins des rues nous suit. Certains n'ont pas de chaussures. Ils n'ont aucune idée d'où je viens, mais se battent pour me donner la main. J'oublie François un instant, c'est à eux que je pense, à ceux qui n'auront pas la chance d'aller à l'école.

Je pense aussi à mes enfants, que j'ai souvent laissés pour mes reportages et mes voyages. À mes garçons qui ont subi les conséquences de ma vie compliquée.

Je me sens coupable. Il y a neuf ans, j'ai sacrifié ma famille pour un homme qui s'est débarrassé de moi à la première occasion. Si j'avais su résister à cet amour, mes enfants auraient une jeunesse anonyme et protégée. J'étais folle amoureuse, me voici folle de rage. Personne ou presque n'imaginait François président de la République. Pas même moi. J'ai le sentiment qu'il m'a tout volé. Presque dix ans de ma vie.

Je regagne l'autre rive, seule, épuisée par la traversée et recouverte de boue. Combien de temps me faudra-t-il pour ne plus me sentir salie par tous les qualificatifs dont on m'a affublée : putain, favorite, manipulatrice, hystérique et j'en passe ? J'ai le sentiment de ne pas avoir été défendue. Celui à qui j'avais tout donné n'a pas eu un mot, un geste pour apaiser cette folie. Au contraire, il l'a entretenue et m'a abandonnée.

À mon retour d'Haïti, alors que je suis au volant de ma voiture, j'allume la radio. Je tombe sur une émission où des psychanalystes sont invités à parler des introvertis. « On se trompe en confondant introverti et timide, explique l'un d'entre eux. Un introverti n'a pas peur des autres, c'est quelqu'un qui est incapable de tourner ses sentiments vers l'extérieur, il les renvoie en lui-même. L'introverti est totalement lisse, ne montre aucune émotion. Il veut être plus normal que la normalité. C'est une pathologie. »

Je m'arrête pour noter la dernière phrase. Je suis sidérée tant cette description ressemble à François. Cette incapacité à montrer en public ce qu'il ressent. Je connais l'homme amoureux capable de grandes déclarations. Mais dès lors que nous sommes en public, il s'interdit toute démonstration d'affection. Il faut vraiment le connaître pour savoir que plus il plaisante, plus il cherche à masquer des contrariétés.

Je sais qu'il n'arrive pas à parler de ce qui est intime, vraiment personnel. Sans se livrer à une introspection publique, dont il est incapable, François aurait pu, sur RMC, éluder et éviter l'obstacle, comme à son habitude.

Exprimer un regret. Il a préféré laisser parler son inconscient. Il utilise le langage des puissants, à qui tout est permis et qui ne se sentent redevables de rien, ni de personne.

Se rend-il compte des ravages qu'il provoque ? Ses mensonges, affûtés comme des lames, détruisent ce sentiment tellement simple et pourtant vital que l'on appelle la confiance. J'ai perdu ma boussole.

Depuis que j'ai commencé ce texte, chaque jour, les souvenirs déferlent. Aujourd'hui, ils me renvoient au jour de l'élection de François. Ce dimanche-là, je n'arrive pas à me laisser aller à la joie. Le bonheur intense est pour lui, pas pour moi. Mon confrère de *Paris-Match,* David Lebailly, a écrit un beau livre *La Captive de Mitterrand,* consacré à la femme de l'ombre, Anne Pingeot. Le jour de l'élection de François Mitterrand, la mère de Mazarine pleure. Elle sait qu'elle perd l'homme qu'elle aime. Étrangement, quand je pense à cette journée du 6 mai 2012, c'est à elle que je m'identifie, pas à Danielle Mitterrand, qui partage pourtant officiellement la vie du président élu ce soir-là.

François n'est déjà plus le même. J'arrive tout juste à lui arracher trente secondes pour nous deux, le temps d'un baiser dans un petit bureau du conseil général de Corrèze, avant l'annonce des résultats. Et puis, il y a ce moment qui semble irréel, les résultats annoncés à la télévision.

Il est élu.

François est président de la République.

C'est à peine croyable. Je vois qu'il est déçu de son score. Il ne dit rien, impassible, mais sous son masque, je perçois cette légère déception. Les deux chaînes principales donnent des chiffres différents, il se prépare aux moins favorables. Nous réussissons quand même avec toute l'équipe de Corrèze à déboucher une bouteille de champagne pour fêter l'événement. Il n'en prend pas une gorgée et se met à retravailler sa déclaration. Son futur conseiller spécial, Aquilino Morelle, est présent, et se met derrière son dos. Comme à chaque fois, François biffe tout le travail qui lui est rendu et recommence tout.

Alors qu'il continue à récrire son texte, je reçois un message de Franck Louvrier, le responsable de communication de Nicolas Sarkozy. Il m'informe que ce dernier cherche à joindre François. Son portable est saturé. C'est sur le mien que la communication s'établit. François prend mon téléphone et je fais sortir tout le monde. J'estime que cette conversation n'a pas à être publique. Je ne me fais pas que des amis, ce jour-là…

Le temps presse, la foule amassée place de la Cathédrale attend depuis déjà plusieurs heures. Je demande à François de prendre le temps pour quelques photos car ce moment est unique. Mais François s'agace et me rembarre violemment. Je ne comprends pas sa réaction. Cette minute qui aurait dû être un instant de bonheur vient d'être gâchée. Je vais m'enfermer dans la salle de bains attenante. Pour moi aussi, la tension a été très forte et se relâche. Je ne me sens plus capable d'aller place de la Cathédrale. Je m'effondre, assise par terre, sur le carrelage.

J'essaie de comprendre ce qu'il se passe en moi. Deux sentiments puissants viennent d'exploser l'un contre l'autre. Je suis heureuse pour lui qui a atteint l'objectif de sa vie, mais je sens qu'il n'est pas en état de partager cette émotion. Si nous ne parvenons pas à communier lors de tels moments, que nous restera-t-il à nous deux ? Je pressens à la minute que plus rien ne sera comme avant.

Nous avons été si proches, si complices et, en ce jour de gloire, je me sens presque étrangère à ce qu'il vit. Toutes ces idées se bousculent dans mon esprit alors que je suis toujours réfugiée dans les toilettes. On vient tambouriner à la porte, il faut y aller. J'hésite, je pense à Cécilia Sarkozy qui avait été traînée à la Concorde le soir de l'élection de son mari, où elle ne voulait pas se rendre. Ses raisons étaient différentes des miennes. Mais le vertige, la peur de ce qui va arriver étaient sans doute les mêmes. Comment vouloir de cette vie qui ne ressemblera à nulle autre, qui ne nous appartiendra plus ?

Je finis par sortir de mon drôle de refuge. Juste le temps de me remaquiller et nous partons. Dans la voiture, François ne me parle pas. Il est happé par son texte. Dans cet état de concentration extrême, comme avant chaque grand événement. Je respecte ces temps de silence. Il entre en lui-même. Je sais qu'il ne faut pas le déranger.

Les abords de la place de la Cathédrale sont bondés, inaccessibles. Il y a tant de monde. Nous poursuivons à pied en fendant la foule. Je suis derrière, bousculée de tous les côtés. Je prends sans arrêt des coups de caméras. La foule hurle de joie en voyant François monter sur scène. Je m'arrête en bas.

Jamais je ne l'ai suivi sur une tribune. Jamais je n'ai considéré que c'était ma place. Après quelques mots, c'est lui qui m'invite à le rejoindre. J'y suis tellement peu habituée que je ne bouge pas, figée. Des bras me poussent alors vers les quelques marches. François me tend la main. Tout cela est nouveau pour moi et je suis sensible à ce geste.

Bernard Combes, le maire de Tulle, a prévu des airs d'accordéon, instrument qui symbolise la ville par son festival. Je lui ai dit un jour que j'adorais *La Vie en rose.* Il me fait cette surprise et c'est ainsi que la foule commence à entonner la chanson.

François m'entraîne dans un demi-pas de danse. Je suis gênée et comblée à la fois. Cette fois, nous partageons un moment intense. Cela reste l'un de mes plus beaux souvenirs. Si les Parisiens du petit Paris se gaussent, me dira-t-on, de l'ambiance accordéon, les Corréziens sont déçus que la soirée ne soit pas plus longue. C'est la photo que le Président gardera dans son bureau de l'Élysée. Même après notre rupture : elle y est encore. Je n'ai toujours pas sorti la mienne de mes cartons de l'Élysée, qui restent entreposés dans mon couloir, mais elle est gravée dans ma mémoire.

Comment puis-je imaginer que la semaine suivante *L'Express* va titrer « Valérie Trierweiler en fait-elle trop ? ». Sous cette question, son directeur Christophe Barbier s'offusque. Il affirme que j'ai demandé *La Vie en rose* à Tulle en ce jour de victoire et considère cela comme un acte politique !

Quelques semaines plus tard, *L'Express* mettra à la une un cliché du nouveau Président et de moi avec ce titre « Qui est le chef ? ». J'ai eu le malheur de refuser le grand entretien que Christophe Barbier me proposait. Il rêve de rééditer son scoop de l'interview de Carla Bruni après son arrivée à l'Élysée, qui a été une vente record pour *L'Express.* Je suis sensible à sa proposition, mais je veux prendre mon temps.

Mon SMS de réponse est courtois : « Merci pour ta proposition, mais je ne suis pas prête, c'est vraiment trop tôt. » Le scoop évanoui, il faut trouver autre chose. Va pour la femme qui contrôle tout ! Ainsi vont ceux qui sont prêts à lyncher ce qu'ils pourraient tout aussi bien célébrer, au gré des humeurs et de l'air du temps. Je vais découvrir ce qu'il en coûte de passer de l'autre côté de la barrière.

Malgré tout, le souvenir de Tulle est l'un des plus beaux pour moi. J'ai juste eu le temps de tweeter ce que je ressens : « Tout simplement fière d'accompagner le président de la République et toujours aussi heureuse de partager la vie de François. » François est attendu place de la Bastille. Il serre autant de mains qu'il le peut avant qu'on ne nous presse pour partir à l'aéroport de Brive. J'aurais tellement aimé rester là, sur cette place de la Cathédrale, avec cette foule tranquille et joyeuse, avec ces gens qui, les premiers, lui ont ouvert le chemin vers la victoire en l'accueillant sur leur terre, trente ans plus tôt. Quelle consécration pour lui, comme pour eux !

Mais nous regagnons la voiture pour filer à vive allure attraper l'avion privé. Le réel se mêle à l'irréel. Les communications commencent à affluer du monde entier. Cet homme que j'aime depuis des années, auquel personne ou presque ne croyait, est désormais chef d'État. Il reçoit en direct les félicitations d'Angela Merkel, de Barack Obama et de bien d'autres. Ça n'arrête pas. Sauf quand la ligne coupe, c'est ainsi en Corrèze… Combien de temps l'homme à côté de moi va-t-il rester le même ?

Nous rejoignons la petite équipe dans l'avion. Quinze jours plus tôt, après les résultats du premier tour, l'heure était à la détente pour toute l'équipe. Chacun pariait sur les résultats du second, dans une ambiance détendue. Nous nous sentions légers. Sauf François. Il s'était isolé et ne partageait pas notre bonne humeur. Je ne crois pas qu'il craignait un échec. Il avait suffisamment d'avance. Pour avoir connu avec lui d'autres angoisses de scrutin, je savais, bien sûr, qu'il ne voulait être sûr de rien jusqu'au résultat définitif. Dans ces cas-là, il me communiquait son anxiété dévorante. Il me contaminait et je devenais pire que lui. Pas cette fois, nous étions confiants. Que pensait-il alors à ce moment-là ? Il se préparait sans doute. Je sentais qu'il était habité par autre chose. Comme si le poids de l'Histoire lui tombait brutalement sur les épaules.

Le retour de la victoire, en ce soir de second tour, est différent. François accepte une coupe de champagne qu'il ne boit pas. Nous refaisons l'histoire. Des anecdotes de campagne resurgissent. Le vol passe très vite. C'est un moment suspendu. À l'arrivée, des anonymes se sont massés autour des grilles de l'aéroport pour apercevoir le nouveau Président. Il va leur serrer la main. Tant pis pour le retard.

Au Bourget, la foule est plus conséquente qu'à Brive. C'est surtout le nombre de motos de presse qui est impressionnant. Impossible de les compter : trente, quarante ?

Ils se mettent à pourchasser notre voiture en route pour la Bastille. J'ai le sentiment d'un essaim d'abeilles. Je crains pour la sécurité de certains motards, prêts à prendre tous les risques pour des images d'une voiture sur l'autoroute et le périphérique.

Il me revient en mémoire les images de Jacques Chirac quand il a été élu. Sa main sortant de la vitre pour saluer, Bernadette à ses côtés. Comme si, d'un seul coup, je réalisais ce qu'il se passe. Une bouffée d'émotion me saisit, je prends la main de François. Mais les coups de téléphone et les SMS continuent de pleuvoir et je n'arrive pas à garder sa main dans la mienne… Nos doigts se détachent. Toutes les années précédentes, dès que nous étions près l'un de l'autre, nous étions incapables de ne pas nous toucher, comme deux aimants. Cet événement incroyable trouble notre intimité. À partir de cet instant, les tête-à-tête vont se faire de plus en plus rares.

Il est plus de minuit lorsque nous arrivons à la Bastille ; je comprends le basculement. Ce n'est plus une foule mais un océan d'êtres humains qui se pressent avec avidité pour approcher François. Des dizaines de milliers de personnes. Nous passons d'abord par la tente VIP, il y a là toutes sortes de célébrités. Ceux de la première heure comme ceux de la dernière. Je ne sais pas, je ne vois pas que Julie Gayet rôde, déjà. Je ne l'ai pas croisée une seule fois pendant la campagne.

La première personne que j'aperçois, c'est ma mère qui a tenu à être là. C'est elle que j'embrasse avant tout le monde. Comme toutes les mères, elle a toujours eu peur pour moi, elle avait pressenti le danger de cette situation. Je vois dans ses yeux un mélange de fierté et de crainte. C'est bien sa fille qui se retrouve ainsi, compagne du président de la République : inimaginable. Loin, trop loin de la ZUP nord…

François est happé de tous les côtés, la bousculade est à son comble. Enfin, j'aperçois mes enfants, cachés dans un coin pour ne pas être photographiés. Et eux, que pensent-ils ? Ils savent que leur vie aussi sera bouleversée mais pas au point d'imaginer qu'ils deviendront une proie au cours de ces vingt mois et même après que j'ai quitté l'Élysée. Qu'au lieu de passe-droits comme tout le monde l'imagine, ils n'auront que des chausse-trapes. Des pseudo-affaires qu'on leur inventera pour me déstabiliser. Je les retrouve furtivement. Eux aussi doivent pressentir que leur mère est happée par d'autres, moi je sens cela pour François.

La foule attend de le voir et de l'entendre à la tribune. Il monte, je monte, tout le monde monte. Il prononce son discours, la voix éraillée : « Merci, peuple de France, de m'avoir permis d'être président de la République. Je sais ce que beaucoup ressentent : des années de blessure, de brûlure, il nous faudra réparer, redresser, rassembler. » Il parle vingt minutes. « Nous vivons un grand moment, une victoire qui doit nous rendre heureux. » Je n'entends pas ses mots à ce moment-là. Ou à peine. L'émotion est trop grande. La foule ondule, elle hurle de bonheur dans une invraisemblable liesse, une ivresse générale.

Soudain je vois François s'éloigner à l'autre bout de la scène alors que je suis à ses côtés. Je tourne la tête et regarde ce qu'il se passe. Il traverse la tribune dans toute sa longueur pour aller embrasser Ségolène Royal. Je me décompose, sans réaliser que mon visage apparaît en gros plan sur les écrans géants.

Est-ce moi qui manque de générosité ? Suis-je si peu sûre de moi, si peu sûre de lui ? Toujours en mal de légitimité ? Quand il revient, je lui demande à l'oreille de m'embrasser en précisant « sur la bouche ».

Oui, je veux qu'on fasse la différence : il y a eu une femme avant, avec laquelle il a eu quatre enfants, et une autre maintenant, avec laquelle il vit, mais pas deux femmes en même temps. Je n'en peux plus du fameux « Hollande et ses deux femmes ». Je me sens réduite à rien.

Je n'imagine pas une seconde qu'on lira ces mots sur mes lèvres, les présentant comme une pièce à charge dans mon procès en femme dominatrice. Je l'ai vécu comme un viol. Plus aucune intimité n'est possible, tout est volé, même un murmure à l'oreille…

J'aurais dû comprendre que ce nouveau monde n'était pas fait pour moi. Je suis entière et spontanée, je dis ce que je pense, j'ai grandi dans un milieu où l'on ne dissimule rien. Dans le sérail, on est habitué aux non-dits, on sourit à ceux que l'on méprise, on médit dans l'ombre. Je ne suis pas armée pour cela et je vais le payer cher.

J'aime un homme qui ne peut plus se consacrer à notre histoire comme il l'a fait jusque-là. Je suis éprise d'un homme que je sens s'éloigner avec le succès. Tout s'inverse.

Lui qui m'a tant voulue, attendue pendant tant d'années, le voilà Président, et il n'est plus le même homme. Il ne peut plus l'être, sans doute. François cloisonne tout et je sens qu'il ne veut pas de moi dans sa vie politique, qu'il met soudain de la distance. Je croyais pouvoir tout supporter ou presque mais pas cette indifférence. N'importe quelle femme a besoin du regard de l'homme qu'elle aime. Moi comme les autres.

Alors que je tiens à garder une vie indépendante, je suis propulsée première dame, un rôle indéfini et sans statut officiel. Je dois m'adapter à ce carcan, mais je ne le comprends pas encore. Quel nouvel équilibre allons-nous trouver ?

J'ai été journaliste politique. Combien d'heures avons-nous passé à échanger sur notre passion commune ? Nous avons tout partagé depuis des années. La politique, c'est aussi ma vie. Elle nous a soudés bien avant que la passion se déclare. Je dois me détacher de cette partie de lui-même, non sans arrachement.

Une fois à l'Élysée, je prends garde à ne pas empiéter sur la politique. Mes pas ne se portent jamais du côté du pouvoir. Je ne sais même pas où se trouvent les bureaux des conseillers. J'appelle « mur de Berlin » la porte qui sépare « l'aile Madame » du reste du Palais. C'est ainsi que l'on parle en ces murs, on ne dit pas « l'Élysée » mais « le Palais ». Je n'y arriverai jamais. Je n'ai assisté qu'à une seule réunion avec des conseillers « de l'autre côté ». Il s'agissait de préparer la Journée des femmes du 8 mars. Mes idées ont été jugées excellentes, aucune n'a été retenue.

Le malaise a commencé à m'envahir pendant la campagne. Dès le début, j'ai du mal à trouver ma place. Je commence à amasser les kilos, j'ai de l'eczéma sur mon visage et régulièrement ma nuque se bloque. Mes traits se tendent, mon stress est visible, j'ai l'impression d'avoir pris plusieurs années en quelques mois. Peut-on s'imaginer la violence d'une campagne, l'agression que représentent les flashs lorsqu'on n'y est pas préparée ? Pourquoi est-ce que je vis tout cela si mal ?

Je m'en veux d'être aussi fragile. Aujourd'hui, j'en comprends la raison. Depuis le début de la campagne,

François me place en état d'insécurité permanente par ses mensonges, ses mystères et ses cachotteries. Il n'arrive pas à m'expliquer clairement la distance qu'il veut installer entre nous sur certains sujets. Alors il agit à sa manière – pas vu, pas pris – en utilisant le non-dit, l'esquive et le mensonge. Combien de fois ai-je appris « par la bande » ce qu'il aurait dû me dire lui-même ? Parfois, je disparais, le temps de reprendre mon souffle et confiance.

Nous sommes un couple, mais un couple dans une situation hors norme, en route vers la présidence de la République. Je nous croyais soudés, fusionnels, comme nous l'avons été toutes les années auparavant, lors de sa traversée du désert. Mais depuis sa mise sur orbite, notre complicité si forte s'effiloche. Il a d'autres horizons. Il voit de moins en moins que je suis là. Alors que pour moi, il n'y a que lui qui compte. Pas même sa victoire, lui. Mon grand amour.

Le départ de la Bastille s'accélère. Manuel Valls craint des débordements, car quelques dérapages commencent aux abords de la place. Nous regagnons notre domicile de la rue Cauchy. Tout au long du chemin, les voitures klaxonnent, François salue, vitre ouverte. Nous sommes toujours pourchassés par une horde de motos de presse. Au pied de notre immeuble, c'est une folie. Plusieurs dizaines de journalistes et photographes emplissent la rue, les télévisions sont en direct.

La vie, notre vie va vraiment changer. Je ne suis pas dans l'euphorie. Dans l'émotion, oui. Je garde un regard extérieur sur ce qu'il se passe, comme si j'en étais témoin, spectatrice et non protagoniste.

La course effrénée continue pour François. Dès le lendemain, il va de réunion en réunion pour préparer son prochain gouvernement. Je suis dans la confidence pour le nom du futur Premier ministre, ainsi que pour quelques ministres. Mais je sais aussi, par mon expérience de journaliste politique, que les listes bougent jusqu'au dernier moment.

Je me contente de suggérer un nom qui ne sera pas retenu. Il s'agit de Valérie Toranian, directrice du magazine *Elle* pour le ministère des Droits des femmes. Je la connais peu, mais je trouve que cela aurait eu du sens et de l'allure, une nouvelle Françoise Giroud. François me répond :

– Je ne peux pas faire ça à Giesbert.

Franz-Olivier Giesbert, alors directeur du *Point,* est le compagnon de Valérie Toranian. Dans l'esprit de François, qui connaît le problème pour l'avoir vécu, FOG aurait forcément vécu la promotion de sa compagne comme un camouflet personnel. Solidarité de machos.

Je critique aussi quelques noms qu'il évoque, sans que cela ait la moindre conséquence. La moitié des ministrables dont les noms circulent me sont d'ailleurs inconnus. Ils viennent des entrailles du PS, des radicaux et des Verts. Leur nomination est le résultat de calculs d'appareils, d'un jeu de billard à plusieurs bandes. Certaines femmes ministres sont même choisies sur catalogue. Imaginer que nous composons la liste ensemble, comme cela a été écrit, n'a pas de sens. François n'est pas influençable. Une fois rentré rue Cauchy, il continue à téléphoner aux uns et aux autres. Plusieurs fois, je le préviens que, par la fenêtre de la chambre, j'entends ses conversations alors qu'il est sur le balcon. Tous les voisins peuvent participer à la conversation s'ils tendent l'oreille.

Les services de sécurité viennent inspecter l'appartement de fond en comble, vérifier qu'aucun micro n'a été posé et que le nouveau Président n'est exposé à aucun danger. La baie vitrée représente un risque. Plusieurs appartements ont vue sur notre intérieur, ils recommandent de faire blinder les vitres. Le coût se chiffre à plusieurs dizaines de milliers d'euros. François refuse car cela ne correspond pas à la présidence normale.

Mais surtout, à quoi bon, puisque le Président passe du temps sur le balcon, que nous y déjeunons ou dînons lorsque le temps le permet. Notre protection n'ira pas plus loin que la pose de deux sonneries d'appel d'urgence. L'une dans l'entrée, l'autre dans notre chambre, directement reliées aux officiers de sécurité du Président, avec un mot de passe pour signifier qu'il y a un réel danger au cas où nous aurions un pistolet sur la tempe. Tout est envisagé.

François tient à alléger tout le dispositif. Il fait supprimer le car de CRS posté devant la porte, le contrôle d'identité de toutes les personnes entrantes, ainsi qu'un fonctionnaire de police en permanence à notre étage. Rue Cauchy, nous sommes un couple presque… normal. Il reste tout de même une masse de journalistes aux aguets sur le trottoir, prêts à interroger François tous les matins quand il part. Ils ont raison d'essayer : chaque matin, il leur répond.

Après la folie du dernier mois de campagne, je retrouve mon fils qui passe son bac. Quelques jours après l'élection, il doit se rendre à son épreuve de sport. Il regarde par la fenêtre, voit les caméras et est pris d'une crise de panique, il est incapable de sortir. Je le supplie d'aller à son examen. Il est bloqué. J'envoie un tweet, demandant aux journalistes et photographes de respecter notre vie privée, de nous laisser tranquilles.

Cette demande est mal interprétée : comment moi, journaliste, puis-je rejeter mes confrères ? Impossible d'avouer que mon fils n'est pas en état de se rendre à une épreuve du bac à cause d'eux. Il n'a pas dormi de la nuit. Je réussis à le rassurer et à le convaincre. En le voyant arriver dans un tel état de dévastation, l'examinateur le renvoie à la maison en lui proposant une autre date. Je mesure chaque jour à quel point notre quotidien ne sera plus jamais le même. Le lendemain, mon fils m'annonce qu'il veut vivre ailleurs, il ne supporte pas cette pression. En vingt-quatre heures, je trouve des amis qui lui prêtent un studio. Je suis malheureuse de le voir partir alors qu'il est en plein examen. Une fêlure de plus, alors que l'élection ne date que de deux jours.

La date de l'investiture approche. L'équipe de François a pris contact avec celle de Sarkozy pour préparer la transition. Je suis les choses de loin. Je reçois un message de Carla Bruni-Sarkozy sur mon portable. Elle me demande de conserver l'équipe dédiée au service privé, en me précisant que ce sont « des gens formidables, avec eux, on n'a même pas une petite cuiller à tourner dans son café ».

Je lui explique que nous n'arrivons pas avec l'intention d'un grand ménage, que ce n'est pas l'état d'esprit de François Hollande, ni son genre. Encore moins le mien. Nous convenons de nous voir pendant l'entretien qu'auront les deux Présidents, pour évoquer toutes les deux ces questions d'intendance.

Il reste à régler la question des invités présents le jour de l'investiture. François ne veut pas qu'elle ressemble à celle de Sarkozy, avec la famille recomposée qui traverse la cour d'honneur sur le tapis rouge. Il ne souhaite ni la présence de ses enfants ni celle des miens. Pas même celle de son père. Il organise un dîner avec ses quatre enfants. À sa demande, je n'y participe pas, il veut régler avec eux cette question et celle de la présence de Ségolène Royal. Elle est à la fois une femme politique de premier plan, et son ancienne compagne. Sa présence sera interprétée de façon privée et François ne veut pas faire son entrée à l'Élysée de manière monarchique, en mélangeant vie publique et vie privée, même si cela peut paraître ironique *a posteriori.*

La décision de ne pas associer sa famille est prise par lui, sans moi. Je lui dis que je le trouve cruel avec ses enfants. Pour ma part, je n'ose pas inviter ma mère qui aurait été tellement heureuse d'être là.

L'absence de Ségolène Royal et de ses enfants n'est pas comprise. La presse m'attribue la responsabilité de sa décision. Personne ne remarque que ni mes enfants ni ma famille ne sont là non plus et que c'est une décision de principe pour François. Ses enfants, eux, savent la vérité. Mais à chaque étape, un roman médiatique se construit, à partir d'interprétations erronées ou de malentendus. Cette somme de petits décalages avec la réalité crée une fiction qui échappe à toute emprise. À force d'être répétée, elle devient vraie.

Je rencontre l'équipe du protocole qui m'explique, plans en mains, comment les choses vont se dérouler. Tout sera minuté, étudié, préparé. Je commence à réaliser le caractère exceptionnel de cet événement. Et je sens le stress monter en moi.

La veille du grand jour arrive. Nous nous voyons à peine. François est toujours dans les affres de la politique, tout se précipite, il doit prendre des dizaines de décisions par jour. Mes préoccupations sont plus légères, telle celle de ma tenue. Je veux qu'elle soit sobre. Je n'ai jamais porté de robe de couturier et il ne me vient pas à l'esprit d'aller frapper à la porte de l'un d'entre eux.

Je reçois l'aide d'Amor, le styliste qui m'habillait pour Direct8 et qui continue bénévolement à me donner des conseils. Nous choisissons un modèle de chez Georges Rech, une griffe à laquelle je suis habituée. Mais il faut des modifications sur la robe, y ajouter des manches et plus de longueur. La veille en fin de journée, j'essaie la robe. Elle ne tombe pas comme je le souhaiterais. Il reste très peu de temps pour rectifier. Amor me rassure, tout sera prêt pour le lendemain matin.

La nuit est agitée, nous dormons peu. François sera officiellement investi septième président de la Ve République. Le matin, nous nous préparons chacun dans une pièce différente. Styliste, maquilleuse, coiffeur, nous passons tous les deux entre leurs mains comme si nous nous rendions à la mairie pour nous marier. La question du mariage nous a déjà été posée cent fois, j'ai le sentiment ce jour-là que ce que nous allons vivre est bien plus fort qu'un passage en mairie. Je me sens en totale union avec lui, incapable d'imaginer ce qu'il se passera dix-neuf mois plus tard. C'est tout simplement inimaginable, après tout ce que nous avons vécu, et avec ce lien fusionnel qui est le nôtre.

Je dois partir avant lui, quelques minutes seulement. J'apparais devant lui, apprêtée. Il me complimente. Je sais qu'il est sincère. Une femme amoureuse sait quand elle arrive à surprendre. François me regarde avec des yeux étincelants. Il désapprouve seulement la hauteur de mes talons, il ne supporte pas que je le dépasse. Un dernier baiser et je quitte l'appartement. Nos regards savent en dire davantage que les mots. Comme lorsqu'il saisit ma main et la presse. Je sais ce que cela signifie.

Je suis à l'arrière de « ma » nouvelle voiture. Désormais un chauffeur et deux officiers de sécurité (deux duos en alternance, une semaine sur deux) m'accompagneront partout. Difficile de décrire le sentiment qui m'envahit quand la voiture franchit la grille de l'Élysée. J'y suis allée si souvent comme journaliste. Je n'arrive pas à réaliser. Je n'arrive pas à me dire que je suis première dame, cet étrange rôle de représentation, sans statut, mais qui compte tant aux yeux des Français. Nombreux sont ceux qui estiment que je ne suis pas première dame puisque nous ne sommes pas mariés. Inconsciemment, j'ai sans doute intégré ce handicap.

La masse de photographes est impressionnante. J'avance sur le tapis rouge. J'entends qu'on me hèle de tous les côtés, des « Valérie », des « Madame Trierweiler ». Malgré la tension, je parviens à décrocher quelques sourires. Ce n'est pas chose facile pour moi, j'ai beaucoup de difficultés à paraître naturelle sur les photos. Je n'aime pas ça, je ne sais pas faire.

Je reconnais pourtant des visages familiers de photographes. En vingt ans de carrière à *Paris-Match,* j'en ai rencontré beaucoup, j'ai travaillé avec certains d'entre eux. Cette fois-ci, rien à voir. Ce n'est plus la consœur, la journaliste qui les intéresse mais la compagne de François Hollande, la première dame.

Je franchis cette étape quasi inconsciente de ce qui est en train de se passer, de ces images qui resteront dans l'Histoire, que pendant des décennies, à chaque nouvel élu, les télévisions repasseront en boucle. Je suis envahie par l'émotion en voyant arriver la voiture de François, en entendant le bruit des gravillons sous les pneus. Je le vois, lui, différemment.

Nicolas Sarkozy l'accueille, pendant que je suis reçue par Carla. Les deux hommes, qui se connaissent depuis si longtemps, montent dans le bureau présidentiel pour la passation de pouvoir, la transmission des codes nucléaires et des dossiers délicats. François me révélera que ce moment d'échange de chef d'État à chef d'État sera extrêmement bref. L'essentiel de la conversation est privé. Nicolas Sarkozy lui explique combien cette période a été douloureuse pour Carla, qui a mal vécu la médiatisation à outrance et les médisances. Il lui confie avoir été obligé de recourir à des sociétés spécialisées pour « faire monter » dans les algorithmes des moteurs de recherche les articles et les références honorables, pour cacher les horreurs qui circulent sur le Net, afin que sa femme ne tombe pas dessus.

Pendant ce temps, Carla me fait découvrir « l'aile Madame », la partie qui me sera dévolue. Elle me montre le magnifique bureau, le salon des Fougères, qui m'attend. Ancienne chambre de Caroline Murat, il donne directement sur les jardins. Il est spacieux, clair et féminin avec ses tentures fleuries. Sur un mur, deux tableaux d'Hubert Robert, un peintre du XVIIIe siècle, dont j'apprendrai plus tard qu'ils ornaient auparavant la chambre de François Mitterrand. Sur l'autre mur, un portrait de Louis XV. Ce salon a été transformé en bureau par Cécilia Sarkozy avant leur divorce. Bernadette Chirac s'était quant à elle installée dans une pièce plus sombre, donnant sur le Faubourg-Saint-Honoré, là où prendra place mon futur chef de cabinet Patrice Biancone, la seule et unique personne que je demande à recruter.

Carla m'explique n'être venue que deux ou trois fois dans ce bureau. Nous nous installons dans le salon à côté, que l'un de mes fils nommera le salon Kadhafi à cause des canapés et tentures verts. Nous commençons à échanger, de façon franche et sincère. Je n'ai aucune animosité contre elle. Au contraire. J'avais acheté son premier disque, que nous écoutions en boucle à l'époque avec mon ex-mari.

Depuis des mois, sans nous connaître, nous avons l'une et l'autre adopté un pacte de non-agression. Comme en temps de guerre, je considère qu'on ne devrait toucher ni aux femmes ni aux enfants dans les joutes politiques. Jamais Carla Bruni-Sarkozy n'a publiquement dit de mal de moi et jamais je ne l'ai critiquée non plus. Elle m'explique combien cette période a été difficile pour elle. Elle a les larmes aux yeux.

– Je ne devrais pas le dire, mais je suis heureuse que tout ça s'arrête. Ce sera plus facile pour vous car les journalistes sont vos amis.

Je lui réponds que ce ne sera sans doute pas si simple.

Elle poursuit :

– J'ai peur que sans la politique, mon mari perde le sens de sa vie.

Je connais Nicolas Sarkozy depuis plus de vingt ans. Je l'ai interviewé dans son bureau de la mairie de Neuilly dans les années 1990 et revu très souvent, ensuite. La dernière fois, c'était peu de temps après son élection, en juin 2007. Ce jour-là, j'accompagne pour *Match* une délégation du Canada, avec à sa tête la gouverneure générale Michaëlle Jean, dans un cimetière canadien, en Normandie. Nous sommes tous en place quand Nicolas Sarkozy arrive et salue un à un les membres de la délégation. Arrive mon tour. Il m'apostrophe :
– Ça va ? Tu es sortie de tous tes problèmes ?

C'est l'époque où notre vie commune avec François est notoire dans les milieux médiatiques, après le communiqué de Ségolène Royal qui a pris acte de la situation : « J'ai demandé à François Hollande de quitter le domicile conjugal. » Je réponds par un respectueux :
– Tout va bien, je vous remercie Monsieur le Président.

Il prend mon vouvoiement pour une marque de défiance. Je ne fais que respecter la fonction. Il insiste, je réponds toujours aussi sobrement.

Quelque temps plus tard, je me paie le luxe de me rendre aux vœux à la presse, début janvier 2008, alors que

ma relation avec François Hollande a été révélée. Ça n'est plus un secret pour personne. Je regarde certains de mes confrères se battre pour lui serrer la main. Je n'en fais pas partie. Alors que j'attends mon tour pour reprendre mon manteau au vestiaire, il passe rejoindre son bureau, me voit, s'approche et me glisse à l'oreille :
– J'ai vu de belles photos de toi dans *Voici.*
Le Président a donc le temps de lire *Voici*... François et moi nous étions fait paparazzer alors que nous passions, en amoureux, le Nouvel An sur une petite île de Thaïlande.

Je connais donc bien « l'animal politique Sarkozy ». Quand Carla m'évoque la perte du sens de la vie, je lui réponds :
– Ce n'est pas à moi de vous dire qui est votre mari, mais je connais les hommes politiques de ce niveau, puisque je vis avec l'un d'entre eux. Ce sont des hommes qui ne pourront jamais arrêter la politique.

Je suis déjà et j'ai toujours été convaincue que Sarkozy sera, malgré ses dires, candidat en 2017. Il aura besoin de sa revanche.

Nous continuons à échanger, presque comme deux amies. Elle me confie son mal-être avec ses kilos pas encore perdus, mais cette petite victoire de rentrer enfin dans le tailleur-pantalon qu'elle porte ce jour-là. Me raconte encore combien elle a souffert des attaques sur Internet.

À plusieurs reprises, ses yeux s'embuent. À ma demande, elle me montre des photos de ses enfants.

Le temps passe à la vitesse grand V. Notre conversation dure trente-huit minutes. Carla et moi aurions pu échanger bien plus longuement, mais José, qui va gérer les questions du protocole pour moi, comme il l'a déjà fait pour Bernadette Chirac, Cécilia Sarkozy et Carla Bruni-Sarkozy, vient nous interrompre et nous prévenir que les deux Présidents ont terminé leur entretien.

Nous partons les rejoindre dans le hall. Sarkozy m'adresse quelques paroles aimables en me vouvoyant. Il dit à son tour combien c'est difficile pour la famille. Nous voilà tous les quatre sur le perron. Naturellement, j'embrasse Carla. François leur serre la main à l'un comme à l'autre. Il ne raccompagne pas le désormais ex-Président à sa voiture.

Une polémique sur un éventuel affront fait à son prédécesseur se développera. Mais je le connais. Les règles de savoir-vivre ne lui sont pas tout à fait familières, il lui faudra du temps pour s'habituer au protocole. Et il est pressé. Infiniment pressé de la suite : être officiellement investi. D'ailleurs, il tourne les talons sans m'attendre non plus…

Nous rejoignons la salle des fêtes, là où François va être investi, recevant des mains du président du Conseil constitutionnel le collier de Grand Maître de l'ordre de la Légion d'honneur. Je suis placée sur sa droite, en arrière. Je ne parviens pas à me concentrer sur son discours, que je n'ai pas lu auparavant.

Sur les photos, j'ai les yeux dans le vague, tant tout cela continue à me paraître irréel. Je me souviens aujourd'hui de quelques formules, qui me reviennent en écho et résonnent différemment, deux ans après. « La confiance, c'est l'exemplarité. » « L'exercice du pouvoir sera exercé avec dignité. » À ce moment-là, François m'impressionne. Il me semble solide et volontaire. Il est dans le rôle, dans la fonction, dans le costume. Je suis fière d'être à ses côtés, fière que celui que j'aime soit arrivé là où son destin devait le mener alors que personne n'y croyait.

Fin du discours. Il se dirige vers les corps constitués et les invités. Le protocole me fait signe de le suivre. Comme lui, je saisis les mains qui se tendent. La quasi-totalité des visages me sont familiers, j'ai rencontré ces hommes et ces femmes au gré de mon métier. Il y a là aussi des proches.

Sacrilège ! Dès le soir même, je me vois reprocher d'avoir osé saluer ces corps constitués, les dirigeants ou représentants de toutes les institutions françaises. Ce n'était pas là mon rôle, écrit-on aussitôt. Ça ne s'était jamais fait, paraît-il. J'ai pourtant suivi le mouvement indiqué par le protocole. Mais je n'ai pas répété, je ne me suis pas renseignée sur les usages. Dire bonjour et serrer la main me semble être plus adapté à la situation que l'inverse. Le dilemme me semble insoluble. Si je salue, on me reproche de me prendre pour ce que je ne suis pas. Si je ne salue pas, on critique ma froideur, on me dit hautaine. Que faire ? Par la suite, je me contenterai de rester un ou deux mètres derrière lui, en hochant la tête, avec parfois un sourire en guise de bonjour.

La journée est chargée. Autant que le ciel. La pluie commence à s'abattre quand François s'apprête à remonter les Champs-Élysées dans sa Citroën DS5 hybride au toit ouvrant, fabriquée pour cette occasion. Il refuse le parapluie. Je pars quelques minutes avant lui pour l'attendre en haut des Champs-Élysées. Malgré les trombes d'eau, le voir remonter l'avenue est pour moi l'un des moments les plus intenses. Il renvoie à tant d'autres images mythiques.

Je grelotte, j'essaie de m'abriter au mieux, sous l'Arc de Triomphe. La pluie et le vent arrivent de toutes parts. Je dois maintenir ma robe portefeuille qui s'envole sur un côté si je ne veux pas faire le régal des photographes. Ce sera le cas un peu plus tard, lors de l'hommage à Jules Ferry au jardin des Tuileries.

Après la cérémonie sous l'Arc de Triomphe, le désormais Président part saluer la foule. Il est convenu par le protocole que nous redescendrons ensemble les Champs-

Élysées dans sa voiture. Je ne sais pas quoi faire lorsqu'il s'éloigne sans m'attendre pour serrer des mains, dois-je le suivre ? Rester plantée dans le froid comme une idiote ? Sa voiture le suit. Personne ne me dit quoi faire. J'essaie de rattraper la DS5 avant qu'on ne m'oublie… Mon pouvoir d'influence est décidément immense ! Une fois de retour à l'Élysée, je dois insister plus de dix minutes auprès de lui pour qu'il accepte de changer de costume avant le déjeuner. Dire qu'il est trempé est un euphémisme. Il regimbe. Lorsque je lui dis que ce serait quand même dommage qu'il commence son quinquennat malade, il accepte enfin ma suggestion.

Nous sommes juste à côté du salon des Portraits, là où doit se tenir le déjeuner, là où les anciens Premiers ministres socialistes et leurs épouses patientent. Cette idée de les réunir, c'est moi qui l'ai eue. C'est ma seule contribution à l'organisation de cette journée d'investiture.

François a d'abord songé à convier le clan de ses fidèles « hollandais ». Bien sûr, ceux-ci méritaient d'être là en ce jour si particulier, eux qui étaient si peu nombreux à le soutenir les années précédentes. Mais je le mets en garde sur l'image clanique que le nouveau Président pourrait donner s'il reçoit sa garde rapprochée, alors qu'il a su se faire élire sur la promesse du rassemblement. Je trouve que réunir les anciens Premiers ministres de gauche a tout de même plus d'allure, il en a adopté l'idée. J'ai été entendue, pour une fois.

Revoir Jospin et Sylviane Agacinski me fait plaisir. J'ai tellement cru en lui en 2002, j'ai tellement espéré qu'il soit élu. J'ai la conviction qu'il aurait été un bon Président, comme il a été un bon chef du gouvernement. Et je me souviens que c'est lui qui a fait de François le premier secrétaire du PS après les législatives de 1997. Grand seigneur, il ne montre aucune amertume en étant reçu par un autre homme de gauche, intronisé dans la fonction qu'il a voulu occuper dix ans plus tôt. Le déjeuner est rapide et léger, le ton de la conversation agréable, bien que Michel Rocard monopolise la parole, comme à son habitude.

Après les deux cérémonies prévues en hommage à Jules Ferry, puis à Pierre et Marie Curie, il reste encore la réception du nouveau Président à la mairie de Paris. Elle est poignante également. Sur la place de l'Hôtel-de-Ville, la foule est nombreuse et chaleureuse. Bien sûr, il y a quelque chose de grotesque à voir François Hollande et Bertrand Delanoë assis sur deux larges fauteuils pompeux, plus royaux que républicains, avec Anne Hidalgo et moi derrière. Mais il y avait tant de visages amis !

En sortant, Jean-Marc Ayrault me confie combien il est heureux de devenir Premier ministre. Rien n'est encore officiel, mais c'est un secret de polichinelle. François n'a jamais hésité, son choix était fait depuis longtemps. Il apprécie sa loyauté et ne veut pas d'ombre. Ayrault a le profil parfait.

Tout est minuté. Nous repartons à l'Élysée. Nous pouvons enfin visiter les lieux. Je découvre le bureau présidentiel que je n'avais jamais vu, même au cours de mes dix-sept ans de journalisme politique. Je connaissais le salon vert, juste à côté, qui était le bureau de Jacques Attali du temps de Mitterrand. C'est dans cette pièce également que se tenaient les briefings « off » de Jacques Chirac. J'avais pu assister à quelques-uns, en général avant les voyages officiels. Mais entrer dans le bureau présidentiel avec François, quelle émotion ! Indicible.

Nous faisons le tour de quelques autres bureaux. Puis nous sommes conduits dans l'appartement privé. Carla m'avait prévenue :

– Vous y serez très bien, j'ai tout fait refaire.

Nous découvrons un bel appartement, à la fois spacieux et impersonnel. De toute façon, nous avons prévu de continuer à habiter rue Cauchy. J'y retourne le soir même, après avoir rencontré les maîtres d'hôtel. Je suis seule dans notre appartement. François est parti pour Berlin, où il doit dîner avec la chancelière allemande.

Une fois rentrée chez nous, à la fois exténuée et fébrile, je zappe d'une chaîne à l'autre. Je revois des images de cette incroyable journée. Soudain j'apprends que l'avion de François a reçu la foudre, qu'il a dû se détourner et se poser à Paris. Qu'il a dû embarquer dans un autre Falcon avant de repartir. J'ai l'impression de recevoir moi aussi la foudre. Je n'ai pas de nouvelles de lui. Cinq minutes plus tard, je reçois un appel de Pierre-René Lemas, le secrétaire général de l'Élysée. Nous nous connaissons à peine, mais je perçois une bonne personne. Il m'apprend que François va bien. Moi non. Je ne comprends pas que François ne m'ait pas appelée moi, pour me rassurer. Pas même un SMS. Il y aura donc désormais des filtres entre nous, plus de lien direct ? Sera-t-il toujours ainsi happé par sa nouvelle vie, sans une pensée pour moi, incapable d'imaginer mon inquiétude en apprenant l'incident ?

Heureusement, j'ai prévu de passer la soirée chez des amis, de ne pas rester seule en ce jour unique. Nous dansons et faisons la fête, nous ne sommes qu'une petite dizaine. J'ai l'impression qu'il s'agit de l'enterrement de ma vie non pas de jeune fille mais de femme libre. La tension de la journée retombe.

Finalement, François et moi rentrerons chacun à peu près à la même heure, vers 2 heures du matin. Il a juste le temps de me donner ses premières impressions sur Angela

Merkel, de me dire que la foudre sur l'avion n'était rien et qu'il ne m'a pas prévenue pour cette raison. Nous pensons tous les deux à la même chose, à notre frayeur commune. Elle remonte à la campagne de 2004 pour les régionales. Je ne suis alors qu'une journaliste qui accompagne le premier secrétaire du PS. Nous volons vers la Bretagne dans un petit coucou. La météo est extrêmement défavorable. Plus nous approchons, plus les vents soufflent fort. Nous sommes quatre dans l'avion, Jean-Yves Le Drian, Éric, le fidèle garde du corps, François et moi. Le pilote hésite à se poser. La carlingue est violemment secouée. François le pousse à prendre le risque. La pensée que nous allons mourir m'effleure ce jour-là.

Nous en avons souvent parlé ensuite, de cette heure où nous aurions pu mourir ensemble sans jamais nous être aimés. Nous l'évoquons encore, à 2 heures du matin, dans cette nuit qui suit son investiture. François et moi n'avons pas le même rapport à la mort. Il la redoute plus que tout. Il fait partie de ces hommes qui se construisent un destin pour échapper à celui du commun des mortels. Pour laisser une trace, pour survivre d'une façon ou d'une autre. Pour rester dans les livres et dans l'Histoire. C'est sa quête d'immortalité. Il refuse de parler de la mort, il ne sait pas faire avec les mourants ni avec les grands malades. Il en a peur. Il fuit ceux qui vivent des drames, comme si le malheur était contagieux. Je m'en rends compte après la découverte de la grave maladie de sa mère, pendant la campagne de 2007, quand il me demande de l'appeler à sa place pour prendre de ses nouvelles. Il n'arrive pas à les recevoir lui-même, de plein fouet.

Je ne connais alors Nicole, sa mère, que par téléphone. Quelques années plus tôt, il m'a fallu écrire un portrait de François pour *Paris-Match*. À l'époque, elle accepte de me parler, sur les recommandations de son fils. Le courant passe entre nous, elle se confie facilement. Dans ce portrait, j'écris que François Hollande est « anormalement normal ».

En 2006, il me demande de rappeler sa mère… pour la prévenir de notre histoire d'amour. Il n'ose pas le faire lui-même. C'est un moment particulier dans une vie. Il se passe bien. Nicole est heureuse de savoir son fils heureux, d'autant plus que ses relations avec Ségolène Royal n'ont pas toujours été harmonieuses au fil des années. Pendant toute la campagne de 2007, je l'appelle tous les jours ou presque.

Je rencontre ses parents au cours de l'été 2007, ils m'accueillent à bras ouverts. Mais la maladie de Nicole se développe inexorablement. Plus sa santé se détériore, plus François a du mal à lui parler directement. Nous allons leur rendre visite le week-end à Cannes. Sa fin de vie est terrible. Il n'y a plus rien à faire que d'attendre l'issue fatale.

Nicole est hospitalisée à domicile, après de longs séjours à la clinique. Philippe, le frère aîné de François, passe ses nuits à son chevet. Lorsque nous venons, nous prenons le relais. C'est bien peu par rapport à tout ce que fait Philippe durant la semaine. Nous dormons dans la même chambre que Nicole, à ses côtés. Dormir non, c'est impossible, nous entendons ses râles, nous passons la nuit à nous demander si son souffle est le dernier. Sa peau est desséchée, craquelée.

François me demande de la masser avec une crème hydratante, sa pudeur l'empêche de le faire lui-même, toucher ce corps qui l'a porté lui est inconcevable. Je le fais. Il me dit :
– Je ne te quitterai jamais, tu es tellement gentille avec ma mère.

Sa phrase me touche et me surprend. Il est naturel d'être présente auprès d'une mère quand on aime son fils. Je sens le lien puissant entre ces deux êtres.

Philippe téléphone un jour de semaine, nous demandant de venir le plus rapidement possible. Il est convaincu que la fin est imminente. Dans mon souvenir, c'est un mercredi. François a des engagements, il veut attendre le samedi, et convaincre aussi ses enfants de rendre une dernière visite à leur grand-mère. Deux d'entre eux acceptent à la condition que je ne sois pas là. La séparation officielle de leurs parents date de quelques mois à peine et la blessure est encore béante. Je me retire pour leur laisser la place.

Le matin du départ, le téléphone sonne très tôt. Nicole a rendu son dernier souffle. Au bout du fil, Philippe pleure. François aussi. Les enfants annulent leur voyage et je peux l'accompagner se recueillir devant la dépouille de cette mère qu'il aime tant. Trois jours plus tard, je ne suis pas admise à l'incinération, car les enfants ont fait le déplacement.

Jamais je n'oublierai le visage de François à son retour rue Cauchy. Il m'a prévenue qu'il reviendrait avec les cendres de sa mère, pour les obsèques prévues à Paris. J'achète cinq bouquets de fleurs blanches que j'installe sur la commode qu'elle nous a offerte, autour d'une photo de Nicole. Une sorte d'autel pour recueillir ses cendres, pendant les deux jours qui nous séparent encore de la cérémonie. François sonne à la porte. La boîte contenant les cendres est dans un simple sac en plastique de supermarché. Je ne saurais décrire son expression. Je ne l'ai jamais vue sur personne. Décomposé est encore un mot trop faible. Il est sous le choc, traumatisé, dévasté.

Il est touché par les fleurs que j'ai préparées. Le lendemain, nous allons ensemble organiser les obsèques, rencontrer le prêtre, et reconnaître l'emplacement dans le cimetière de Saint-Ouen. Je ne sais toujours pas si je vais être autorisée à assister à la cérémonie. Jusque-là, ses enfants ont refusé de me rencontrer.

Je n'ose pas poser la question à François, tellement j'ai peur d'être écartée, de ne pas partager ce moment avec lui. Je suis pourtant bien obligée de lui en parler, car lui n'aborde pas le sujet. Comme souvent, il préfère le non-dit. Il me confie que oui, pour lui il est naturel que je sois là.

Ma présence continue de poser problème pour les enfants. Jusqu'à la dernière minute, leur venue est incertaine. En arrivant dans l'église, François me dit :
– La famille c'est là, à gauche, toi tu vas de l'autre côté.

Un couple n'est donc pas de la même famille. J'encaisse le choc. Il s'agit des obsèques de sa mère, je n'ai pas le droit d'être une gêne pour lui ce jour-là. C'est ainsi que je me retrouve seule sur la rangée de droite. Puis il ressort de l'église attendre les enfants. Je ne sais pas exactement ce qu'il se passe. Après un long moment, il revient accompagné de ses quatre enfants, triste et heureux à la fois. Infiniment triste pour sa mère et heureux que ses enfants soient là, qu'ils acceptent d'entrer dans l'église même en ma présence.

À l'issue de la cérémonie, il m'ignore, ne me les présente pas. Je vais, seule, les saluer. Ils ne me rejettent pas. L'aînée de ses filles vient même déjeuner rue Cauchy avec le reste de la famille de François, des cousins que je n'ai jamais rencontrés jusque-là. Cette triste journée est l'occasion d'un début de normalisation.

Ces jours de deuil, je suis touchée par le chagrin de François. Qu'un homme de cinquante-sept ans soit atteint à ce point par la mort de sa mère me bouleverse, moi mère de trois garçons. Et en même temps, je sais que dorénavant il se sentira dégagé du regard et du jugement de sa mère, qu'il redoute le plus depuis toujours. Il a été tant aimé par elle. Personne ne lui a tendu de miroir aussi grand que celui qu'elle lui présentait, elle. La mort propulse chaque être en première ligne, seul face à son destin. C'est un arrachement et une liberté.

Cela ne l'empêche pas, ô combien, de penser à Nicole et avant tout à elle, le jour de l'élection. Je bloque une heure dans son agenda avec la complicité de sa secrétaire, et j'achète les fleurs. Nous y allons tôt le matin, aucun paparazzi ne vient gâcher ce moment. Comme à chaque fois que nous nous rendons au cimetière, je le laisse se recueillir seul devant la tombe de celle qui lui a donné la vie, et plus encore, la joie de vivre.

Que pense-t-il à cet instant si particulier ? À tout ce qu'il lui doit, certainement. À sa présence qui lui manque, au moment où sa vie se transforme en destin. Je me souviens de nos longues conversations, au début de la maladie, à tout ce que Nicole espérait pour nous deux. Et à cette jolie phrase qu'elle a prononcée :

– Il a fallu que j'attende que mes deux fils aient plus de cinquante ans pour les voir amoureux à ce point.
À l'époque, Philippe aussi refait sa vie, avec Caroline.
À la fin, Nicole a dit aussi :
– Je peux partir heureuse, puisque mes deux fils le sont eux-mêmes.
Le jour de son investiture, c'est à elle que François pense encore.

Après cette folle journée, il faut dormir. Depuis le premier tour, les nuits ont été si courtes, les journées si chargées, que la fatigue s'est accumulée pour chacun de nous deux. Sans compter nos insomnies respectives, pas toujours coordonnées. François se réveille chaque nuit depuis la primaire socialiste. Son sommeil est totalement perturbé. Lui, qui ne montre rien à personne de ses préoccupations, se laisse submerger la nuit par ce qui le hante. La peur de perdre, d'abord. Le poids de la charge, ensuite. Il sait que le moindre événement extérieur peut changer la donne. Rien n'est acquis avant le jour J.

En cette fin de mai 2014, un sondage apocalyptique sur les souhaits de candidature pour 2017 donne François Hollande à 3 %. Il redevient l'objet de la risée générale comme il l'était déjà quatre ans plus tôt. Je suis peinée de ce gâchis incommensurable, en colère de ce sabordage. Évidemment à titre privé, mais aussi comme citoyenne de gauche. Comment a-t-il pu en arriver là ? Retomber à ces 3 % ? Les souvenirs affluent, comme des bulles qui remontent à la surface.

Retour à la case départ, quand il se prépare mais que personne ne croit en lui. Il est le seul à penser qu'il peut y arriver. Et moi je suis prête à le suivre n'importe où. Tout a commencé un matin de novembre 2010. Alors qu'il s'habille dans notre chambre, il évoque sa candidature à l'élection présidentielle.

Ce n'est pas un sujet que nous abordons. Je sais que c'est son objectif. C'est ainsi que nous l'évoquons parfois, à demi-mot, « l'objectif ». Jamais nous ne prononçons les

mots « élection présidentielle ». Un voile de pudeur entoure son ambition. Ce tabou saute une seule fois, alors que nous passons avec ma voiture rue du Faubourg-Saint-Honoré. C'est lui qui conduit. À ma grande surprise, au moment où nous longeons le palais de l'Élysée, il me dit :
– Regarde, on passe devant la maison.

J'explose de rire. Il m'a tellement souvent fait rire. Capable de dérision, comme d'autodérision. Ce matin de novembre, c'est différent, aucune lueur de malice dans ses yeux. Il est plus grave, il me demande ce que j'en pense. C'est la première fois. Je lui dis ce que je pense :
– Après ce qu'il s'est passé en 2002 et 2007, tu n'as pas le droit à l'erreur. Tu n'as qu'une question à te poser. Soit tu penses que tu es le meilleur, et tu y vas, soit non et tu laisses la place à quelqu'un d'autre.
Sa réponse fuse aussitôt :
– Je suis le meilleur.
– Alors dans ce cas, tu t'en donnes vraiment les moyens.

Nous continuons à échanger. Il n'a pas de doute sur lui-même. Il sera toujours convaincu de l'emporter sur Dominique Strauss-Kahn, même quand le patron du FMI est au firmament des sondages. Il est persuadé que Ségolène Royal ne sera pas candidate s'il l'est, lui. En 2007, il l'a laissée se présenter. Cette fois, c'est son tour.

Depuis deux ans, il travaille à cette candidature dans la plus grande discrétion. Il est parti du plus bas de l'échelle. En 2008, après le désastreux congrès de Reims, François était totalement discrédité. La présidentielle avait été perdue, Ségolène Royal l'accusait de l'avoir fait perdre. Comme à chaque échec, il fallait un coupable et le coupable, c'était lui. Tout le monde voulait tourner la page Hollande. Onze ans à la tête du parti socialiste, ça suffisait !

Juste avant le congrès, j'ai une idée pour lui, pour nous. J'achète une nouvelle voiture. Je troque ma vieille Clio contre une Mégane Renault. J'entre chez le concessionnaire. Je veux la nouvelle voiture tout de suite, je ne choisis pas la couleur. Je prends ce qu'il y a en stock, j'aurais été plus difficile, je crois, pour une paire de chaussures. J'ai mon plan en tête. Je veux qu'il parte la tête haute. Je veux que nous partions ensemble, qu'on nous voie partir dans ma nouvelle voiture comme le symbole d'une nouvelle vie, d'un nouveau départ. Bref, qu'il assume notre couple.

Au dernier moment, il refuse. Le climat est délétère. Le combat entre Martine Aubry, Bertrand Delanoë et Ségolène Royal tourne au psychodrame, sur fond d'accusations mutuelles de fraude. Sa succession est un échec. Martine Aubry finit par l'emporter mais à quel prix ? Le PS semble à terre. François décide de quitter les lieux par une porte dérobée, sans fanfare ni caméra. Je viens le chercher là où il me l'a demandé. Là où personne ne peut le voir partir avec moi.

Les deux années qui suivent sont les plus belles de notre vie commune. La presse le dit malheureux, déprimé, fini. Je ne vois pas le même homme. Il passe trois jours par semaine en Corrèze, le reste du temps nous sommes ensemble. Je suis dans mon placard à *Match,* loin du journalisme politique. François n'a plus d'emploi du temps surchargé, plus de chauffeur. Nous vivons dans notre appartement de la rue Cauchy qu'il a choisi lui-même. Nous prenons le temps de le meubler, de vivre, le temps de « nous occuper de nous » comme il dit. Comme si rien d'autre ne comptait. Il répète souvent :
– On va se faire une belle vie.

Chaque minute a son importance. François, le François que j'aime follement à ce moment-là, est fait pour le bonheur. Il n'aime ni les disputes ni les bouderies passagères entre amants, rien qui puisse gâcher une journée, une heure, une minute. Pour lui, la vie est infiniment précieuse.

Il sait faire passer comme personne une contrariété par une dérision, un trait d'humour qui rétablit les choses dans le bon sens. Il me fait rire même quand je n'en ai pas envie. Il a cette qualité immense de ne voir que le positif.

Il dévore la vie avec un optimisme hors norme, et une capacité d'entraînement étonnante.

C'est le temps où nous partons tous les deux à l'aventure, en écoutant nos CD dans la voiture. Il est capable de danser le sirtaki sur la chanson de Dalida, même au volant. Simplement pour me faire rire et je ris, je ris comme jamais. C'est encore le temps où nous allons nous allonger dans l'herbe, même un jour de semaine. Je lui montre des lieux qu'il ne connaît pas. Les bords de Loire, chez moi, dont il a découvert la beauté. Je lui ai fait aimer l'Atlantique, la puissance des marées, lui qui ne jurait que par la Méditerranée et le soleil cru. Il me conduit dans les villages de sa circonscription et le long du Lot, baigné par une lumière dorée.

Je revois nos premières vacances en 2007, inoubliables, dans le sud de la France et en Italie, puis les années suivantes en Espagne ou en Grèce. À Athènes en passant par Syros, Mykonos ou encore Paros, nous nous comportons comme deux adolescents en parcourant les îles sur des scooters de location et nous roulons sans casque. Nous ne savons pas où nous dormirons le soir même.

À ce moment-là, François sait encore perdre du temps. Nous sommes complices, il me fait rire pour un rien. Ou me rend folle quand il joue sur la réserve d'essence alors que nous sommes perdus en rase campagne. Mais je lui fais confiance, il peut m'emmener où il le veut, je le suivrai n'importe où. La seule chose qui m'importe est d'être avec lui où qu'il soit.

Ce que nous partageons est unique et incassable. Éternel. Nous pouvons être en tête à tête des semaines durant, pas une minute nous ne nous ennuyons. Nous rions de tout. Il me dit souvent « je t'aime car tu es une comique ». Je reconnais que ça ne s'est pas beaucoup vu par la suite ! De cette période, je suis certaine qu'il a puisé une force nouvelle qui lui a permis de franchir tous les obstacles ensuite.

Je l'emmène aussi à travers la banlieue qu'il connaît mal, lui l'élu des champs. Il met une casquette et des lunettes de soleil et entre avec moi dans ces magasins discount où l'on achète des produits entreposés sur des palettes et dont la date de péremption est proche.

Je veux qu'il connaisse la réalité quotidienne qu'affronte une partie des Français, ceux qui comptent chaque euro et ne savent jamais comment finir le mois. Lui qui préfère se passer d'un repas lorsque ce n'est pas du premier choix, ne mange pas mes fraises si elles ne sont pas des « garriguettes », ne goûte pas aux pommes de terre si elles ne proviennent pas de « Noirmoutier », et met directement à la poubelle la viande si elle est sous vide.

Il connaît si peu le prix des choses. Combien de fois l'ai-je entendu dire « ce n'est pas cher » pour des aliments ou des objets hors de prix !

Je gagne bien ma vie à ce moment-là. Bien que mes charges soient lourdes avec les enfants, j'ai une certaine sécurité financière. Mais quoiqu'il arrive, je suis incapable d'acheter quelque chose dont le prix me paraît excessif. Notre différence d'origine sociale est criante. Il se moque gentiment de moi, me surnomme Cosette. Il ne comprend pas ce blocage sur l'argent. Il ne peut pas l'imaginer, lui qui n'a jamais manqué de rien. Il lui faut toujours le meilleur, rien que le meilleur. Il aime les grands restaurants quand je préfère les bistrots, les grands hôtels quand moi je suis heureuse dans les petites auberges.

Il n'est pas flambeur pour autant. Son apparence d'ailleurs lui importe peu. Il est capable d'acheter ses chemises et ses chaussures dans les hypermarchés. Lorsque Ségolène Royal lui fait porter ses valises au siège du parti socialiste en juin 2007, après leur séparation officielle, je fais le tri. Je donne à Emmaüs la plupart de ses vêtements, même ce costume noir en velours élimé qu'il aimait tant ou ses vestes en cuir. Ses chemisettes sont définitivement bannies du placard. Nous rachetons de quoi l'habiller.

Trois ans plus tard, après qu'il a maigri de près de quinze kilos, je refais la même chose. Je donne tous ses costumes, toutes ses chemises. Il pourrait les remettre aujourd'hui, alors qu'il a repris sa corpulence. Mais c'est trop tard : d'autres hommes que lui, habillés chez Emmaüs, se promènent dans Paris avec des costumes ayant appartenu au président de la République, sans le savoir.

Il y a sept ans, je triais les valises que Ségolène Royal avait remplies avec ses costumes. Aujourd'hui, c'est à mon tour de ranger ses affaires dans des cartons et des valises, que je lui fais porter au palais de l'Élysée… « Chacun pour soi est reparti/Dans l'tourbillon d'la vie », chantait Jeanne Moreau.

Je suis tombée amoureuse de lui à un moment où il n'était que sujet de moqueries. Le voilà revenu à 3 %, comme à l'époque où nous étions le plus heureux. En ce mois de mai 2014, comme pour renouer avec ce passé, il ne cesse de m'envoyer des messages d'amour. Il me dit qu'il a besoin de moi. Chaque soir, il me demande de dîner avec lui. Il souffre, je le sais, de l'échec du début de son quinquennat. Ce n'est pas faute d'un travail acharné, sept jours sur sept. Je suis comme tout le monde, j'ai cru en lui lorsqu'il a annoncé avec certitude qu'il inverserait la courbe du chômage. J'ai vu sa déception, de mois en mois, de ne pas y parvenir. Mais au moins au début du quinquennat, François a tenu ses promesses de campagne. Notre seul désaccord à cette époque a été la fermeture de Florange. Nous en avons discuté vivement.

Je n'avais pas oublié ce moment si fort, au cours de la campagne, lorsqu'il s'était hissé sur le toit de la camionnette des ouvriers et qu'il leur avait promis de sauver leur entreprise. J'étais favorable à la proposition d'Arnaud Montebourg, qui prônait la nationalisation.

Je n'ai aucune compétence économique, mais je sais voir et entendre. Je sentais que les électeurs ne pourraient pas comprendre cette volte-face. Quand je lui parlais de la force de ce symbole, quand je lui disais que ce renoncement serait synonyme d'impuissance et de trahison personnelle, il me rétorquait que c'était impossible, un point c'est tout. Le débat a été vite clos.

Comme les choses sont allées vite. Aujourd'hui, il n'y a même plus de débat. La nouvelle conseillère économique de l'Élysée vient d'une banque anglaise, un des fleurons de la City de Londres. La formule choc du discours du Bourget, « mon ennemie, c'est la finance », est bien loin. Par provocation, son vieil ami et ministre de l'Économie, Michel Sapin, va jusqu'à affirmer que « notre amie, c'est la finance ». Quel cynisme tranquille ! Comment les électeurs peuvent-ils s'y retrouver ? Deux ans après son élection, je sens François perdu, parfois même égaré. Le changement a eu lieu. Pas celui que nous attendions.

La page, pour moi, se tourne et il le sent. Aurait-il tant besoin de moi si sa cote de popularité n'avait pas chuté autant ? Il m'écrit qu'il est en train de tout perdre. Et que la dernière chose qu'il ne veut pas perdre, c'est moi.

Il y a cinq jours, je lui ai rappelé « l'anniversaire » de son communiqué de rupture. Quatre mois que j'ai subi cette humiliation. Je réalise après coup l'ampleur du traumatisme, sur le moment j'étais anesthésiée par le choc.

Je mesure désormais le raz-de-marée de la presse internationale. Un jour, l'un me dit avoir appris ma répudiation à la une d'un journal de Phnom Penh, le lendemain l'autre m'avoir découverte en femme trompée dans un magazine de Bangkok, Pékin ou de Toronto. J'ai été jetée à la face du monde comme un rien. J'ai eu le réflexe de me protéger, mais je suis atteinte pour toujours.

Chaque jour dans la rue, des femmes, souvent, mais aussi des hommes, viennent me voir, ils me parlent de ma « dignité ». Je suis parfois obligée de tempérer leurs propos, très durs à l'encontre du Président. Un jour, après le premier tour des municipales, un homme m'aborde dans la rue et me dit :
– Je pense à vous tous les jours. J'avais toujours voté socialiste, cette fois-ci je n'y suis pas allé à cause de ce que Hollande vous a fait.
Je lui ai répondu :
– On peut être dans la colère ou la déception, mais j'y suis allée, moi. J'ai même voté socialiste. Parce que je ne

veux pas que le Front national devienne le premier parti de France.

Cet homme m'a regardée, d'abord interloqué, avant d'acquiescer.

– OK, j'irai voter au second tour.

Un autre jour, de jeunes collégiens d'une douzaine d'années à peine me demandent de faire des photos. Je réponds oui, comme toujours. L'un d'eux s'écrie :

– Je ne voterai jamais pour Hollande avec ce qu'il vous a fait !

Je souris, car lorsqu'il sera en âge de voter, 2017 sera passé, il votera en 2022…

Beaucoup de gens me confient leurs histoires de ruptures et de tromperies subies. Ils me parlent de ma force et même de ma métamorphose, me disent que je suis moins crispée, plus naturelle. Je suis libérée des chaînes du protocole comme de celles de cet amour fou. Jour après jour, je sors de la prison sans chaîne ni barreaux d'un amour passionnel.

Mais la force que l'on me prête n'est qu'apparence. Depuis quatre mois, je prends des médicaments sur l'insistance des médecins. « J'ai rarement vu un choc d'une telle violence », me dira même un éminent psychiatre. Malgré le traitement, je craque encore parfois, il suffit d'un rien,

d'un détail et toute la violence de mon histoire remonte à la surface. Il y a quinze jours, j'assiste à un mariage d'amis. Une jeune femme vient me voir et me dit être tulliste.
– Vous savez, les Corréziens vous aimaient beaucoup.

Sans que je puisse me contrôler, je m'effondre en larmes. L'évocation de Tulle me rappelle les moments heureux. Je suis émue que des Corréziens m'apprécient comme je suis, loin du portrait de manipulatrice ambitieuse que l'on dresse de moi.

Plus les jours passent et plus ma colère grandit à l'encontre de François. Comment a-t-il pu tout gâcher ? Notre histoire et son début de quinquennat. Cette question, je me la pose en boucle. Lui, sans doute aussi. Il m'écrit pour se justifier : « J'étais perdu et je me suis perdu. »

Pas un jour ne passe sans qu'il me demande de lui pardonner, et qu'il me propose un recommencement. Je n'y arrive pas, je ne peux pas. La douleur est trop forte. Elle est à la mesure de l'amour que je lui portais.

Jusqu'à notre séparation, je suis restée amoureuse, éperdue, prête à tout pour un regard, un compliment, une attention. J'étais raide dingue de lui. Avec le temps, je devenais dingue et raide. Son infidélité a rompu le sortilège.

Comment n'ai-je pas compris dès le début dans quel piège je tombais ? Le Baiser de Limoges est le point de départ d'un engrenage infernal. Comment n'ai-je pas mesuré l'étendue des dégâts qui allaient s'abattre sur moi ? Longtemps, j'ai été aveuglée, dépassée par cet amour que j'avais si longtemps refusé. Lorsque nous nous sommes quittés au petit matin, il m'a accompagnée à la gare de Limoges sans se cacher. Cette nuit-là, il m'a avoué son amour. Il ne voulait pas seulement me conquérir. Il voulait que je l'aime. Comme un crescendo, quand je lui ai dit « je t'aime » à mon tour, il a voulu que je n'aime que lui, et enfin que je l'aime comme je n'avais jamais aimé. Ce que j'ai fait. Il a tout obtenu de moi. Il avait un pouvoir et une emprise sur moi. Il m'a toujours récupérée, même lorsque j'ai tenté de m'éloigner, blessée par un mensonge ou un non-dit.

Chaque jour, il me répétait que nous avions perdu quinze ans. Je lui disais que non, que c'était le destin. Que si notre histoire avait débuté quinze ans plus tôt, nous serions peut-être déjà séparés. De fait, elle n'aura même pas duré quinze ans… Chacun a fait sa vie avant. Et je suis fière que mes fils ressemblent à leur père, qu'ils aient hérité de sa classe.

Après Limoges, nous nous retrouvons dans un restaurant que nous avons surnommé « la table du fond ». Nous restons pour déjeuner à l'abri des regards, souvent jusqu'à 16 heures, nous n'arrivons pas à nous quitter. Nous nous téléphonons des heures durant. Nous avons tant à nous dire, à partager, c'est comme une eau qui sourd après avoir été trop longtemps contenue.

Les vacances d'été approchent. J'ai avoué à mon mari que j'ai rencontré quelqu'un. Je ne dis pas son nom. Il le découvre rapidement. Je comprends aujourd'hui sa détresse d'alors. Je sais désormais quel degré peut atteindre la souffrance, quelle folie elle peut engendrer.

Juste avant l'été, François et moi arrivons à voler des moments de bonheur intense. Quand sonne l'heure de partir en vacances avec nos familles respectives, c'est le désarroi. Nous séparer un mois nous semble au-dessus de nos forces. Tout me manque en lui, quand il n'est pas là. Il m'a ensorcelée. Nous songeons à fuir ensemble. Nous y renonçons pour nos enfants.

Il me dit vivre un enfer. Je découvre cet été-là des photos de lui dans les magazines, l'air heureux avec les siens. Est-il duplice ? Je ne doute pas de son amour. Jamais un homme ne m'a autant montré qu'il m'aime.

À la rentrée de septembre 2005, Ségolène Royal apprend notre histoire. Elle annonce aussitôt qu'elle songe à se présenter aux primaires socialistes, dans un entretien à… *Paris-Match.* Le message est direct, mais François ne prend pas cette déclaration au sérieux. Pourtant le scénario noir commence à s'écrire. La chasse à la femme est ouverte et cette femme, c'est moi. Au journal, alertée par Ségolène Royal, la direction fait pression sur moi. Je suis par ailleurs menacée de représailles de la part de son camp à elle. J'ai peur, François me rassure, il est certain que les choses vont se calmer et qu'elle n'ira pas jusqu'au bout de sa candidature aux primaires. En décembre, il me propose la vie commune. Je refuse, je ne suis pas prête. L'explosion médiatique que cela provoquerait me fait peur. J'en fais des cauchemars. J'imagine que l'on m'expose nue sur une place, que je n'ai aucun endroit où me cacher.

Les menaces se font de plus en plus pressantes, y compris auprès de la direction de *Paris-Match*. À plusieurs reprises, nous tentons de nous séparer. De rentrer chacun chez soi et de reprendre le cours normal de nos vies. Je ne veux pas être responsable de ce qu'il risque de se produire : bien que premier secrétaire du PS, et donc le candidat légitime de son camp, il ne va pas pouvoir se présenter aux primaires socialistes.

Ségolène Royal le défie publiquement pour qu'il cède en privé. C'est un bras de fer et je suis l'enjeu de leur duel. François ne cède pas. Plus la candidature de la mère de ses enfants prend racine et plus il me dit qu'il a besoin de moi. Pourtant, il me raconte qu'elle lui a mis le marché clairement en main :

– Si tu quittes cette fille, je te laisse la place.

Entre son avenir politique et moi, il doit choisir. Nous tentons encore une fois de nous séparer, sans plus de succès. Un deuxième été approche. La mort dans l'âme, nous nous préparons à partir l'un sans l'autre. Moi, seule avec mes enfants. Lui, avec sa famille pour la comédie du bonheur. La famille parfaite, lui le premier secrétaire qui s'apprête à s'effacer pour la mère de ses enfants.

Les journalistes raffolent de cette histoire si romanesque, sans imaginer qu'elle tourne au cauchemar. La machine est en marche. Plus rien n'arrête Ségolène Royal. Son ambition et son énergie sont décuplées par sa colère et sa souffrance face aux difficultés de son couple, qu'elle tait.

Les sondages en sa faveur se multiplient. Elle fait la course en tête. François demande à tous ses amis de la soutenir, tout en m'affirmant l'inverse. Il comprend que la partie est finie pour lui et qu'elle a gagné. À tout prendre, il préfère que ce soit Ségolène Royal plutôt que Dominique Strauss-Kahn, Laurent Fabius ou Lionel Jospin qui tente pourtant un retour durant l'été 2006.

Je suis à deux doigts d'aller voir l'ancien Premier ministre, pour lui dire la vérité. De lui expliquer pourquoi François ne peut pas appeler publiquement à sa candidature, parce qu'il est ligoté par son dilemme privé. Mais je renonce, je suis journaliste, ce n'est pas mon rôle et j'aurais l'impression de trahir François. Entre-temps, il sort un livre d'entretiens avec Edwy Plenel, *Devoir de vérité.* Il s'était plongé dans l'écriture de cet ouvrage alors qu'il espérait encore être candidat. Je relis sa dédicace : « À Valérie, à toi qui connais toute la vérité et davantage encore. Le deuxième tome arrive, ce sera entre toi et moi et jamais un devoir. »

Puis Ségolène Royal est désignée haut la main. Je suis assommée. Je veux cesser notre relation. Je ne veux pas participer au mensonge médiatique du couple uni qui s'épaule dans la course à l'Élysée. Je ne veux pas être complice de cette fable. J'ai l'impression d'entrer dans un mauvais film dont la fin ne pourra être que tragique.

Le Tout-Paris des médias et de la politique se met à bruisser de notre liaison. Les conférences de rédaction à *Match* deviennent un enfer. Lorsque le sujet du couple Hollande/Royal est abordé, tous les regards se portent sur moi. Je ne baisse pas le mien, j'affronte. Mais à quel prix ?

C'est décidé, cette fois-ci, je veux le quitter. L'étincelle est un nouveau mensonge de sa part, un de trop, déjà. Je le quitte et je ne donne plus de nouvelles, pendant trois semaines. Je serre les dents. Un ami commun fait le lien, il me dit que François est malheureux comme jamais. Mais cette fois, je tiens… jusqu'au jour où il m'intercepte sur le chemin du marché, un dimanche matin. Il m'attend depuis des heures. Il me récupère à nouveau. Entre rires et larmes. Sa force de persuasion est nucléaire.

Son amour pour moi ne l'empêche pas de faire campagne pour Ségolène Royal après sa victoire lors des primaires. Il parcourt la France, presque sans journalistes, quand « la candidate », comme il l'appelle, est adulée dans les meetings. Il fait campagne corps et âme, je peux en témoigner. Nos rencontres sont rares tant il y met de l'énergie et du temps. Il veut que son camp gagne. À partir de janvier 2007, il est de plus en plus circonspect sur les chances de victoire.

La crédibilité de Royal commence à être atteinte, les sondages trahissent les doutes des électeurs. Combien de fois François me répète-t-il qu'elle n'a pas le niveau ? Il y a un monde entre une carrière politique classique et une candidature à l'Élysée. Il faut une maîtrise des sujets économiques et géopolitiques, une somme de connaissances et de relations qui ne s'acquièrent pas en quelques semaines.

On évoque les dissensions entre le parti et l'équipe de campagne, entre elle et lui. Ils n'ont quasiment aucun contact direct. Elle s'est installé un appartement dans son local de campagne. Il apprend parfois par des dépêches AFP de nouvelles promesses et découvre la dernière affiche après tout le monde.

Nous vivons un cauchemar public d'un côté, un rêve privé de l'autre. L'idée de nous retrouver après l'élection nous fait tenir. Au fond de moi, je suis convaincue que si elle est élue, il ne partira pas. Il a beau me le jurer, je ne le crois pas. Un matin, à un mois du premier tour, alors que nous avons réussi à passer la nuit ensemble, nous allumons la radio. Il est question du livre de campagne de Ségolène Royal, à paraître. Elle affirme que « oui, nous sommes ensemble, oui nous vivons toujours ensemble » et évoque un projet farfelu de mariage sur une pirogue à Tahiti. François est furieux, il se sent piégé.

Cela ne l'empêche pas d'être totalement abattu le soir du premier tour, lorsqu'il comprend que la victoire de Sarkozy est assurée. La suite, on la connaît. Quelques semaines après la défaite de Ségolène Royal, quelques lignes dans une enquête sur sa campagne, *Une femme fatale,* de deux journalistes du *Monde,* révèle notre relation sans me nommer et met le feu aux poudres.

Dans la foulée, Ségolène Royal annonce lui avoir « demandé de quitter le domicile conjugal ». La phrase est aussitôt transformée en dépêche « urgent » par l'AFP, alors qu'ils s'étaient mis d'accord pour un communiqué commun.

C'est de bonne guerre et je comprends aujourd'hui à quel point la trahison peut amener à tant de ressentiment.

J'imagine que François a dû se comporter avec elle durant toute cette période comme avec moi depuis le début de sa liaison avec Julie Gayet, c'est-à-dire comme le roi du double discours, de l'ambiguïté et du mensonge permanent.

Nous avons à cette époque un petit meublé que j'aime beaucoup. Mais François ne veut pas y rester. Il veut que nous nous installions vraiment ensemble. Ce sera donc rue Cauchy. Nous passons du temps à arranger cet appartement. Il me revient à ce moment-là que le bruit circule qu'il regrette sa séparation, qu'il aimerait retourner auprès d'elle. C'est ce que laisse entendre Ségolène Royal. Pourtant, je ne l'ai jamais vu si présent et François me demande même avec insistance de lui faire un enfant. Tout est possible, y compris que Ségolène Royal dise vrai... Je connais désormais la duplicité de François Hollande.

Ses enfants lui manquent. Il ne les a pas vus depuis des mois et ils refusent en bloc de le revoir tant qu'il reste avec moi. Je ne veux pas porter la responsabilité de cet éloignement. J'explique à François que je suis d'accord pour un nouvel enfant, mais uniquement lorsqu'il aura retrouvé les siens.

Rien ne compte plus à mes yeux que les enfants. Mes trois garçons sont en garde partagée. Ils me manquent déjà la moitié de la semaine. Lorsque les liens auront été renoués avec les siens, nous tenterons d'avoir le nôtre, mais pas avant. François se réconcilie avec ses enfants. La nature ne nous a pas donné celui dont il rêvait depuis notre rencontre. C'est sans doute mieux ainsi.

Récemment, je lis dans un livre qui lui est consacré, qu'il a confié à l'auteur ne jamais avoir eu de désir d'enfant avec moi. J'en suis mortifiée. Il se défend :

– Je n'allais pas raconter notre intimité.

Un mensonge de plus, et l'un des plus blessants qui soient.

Juin 2014. Impossible d'allumer la moindre radio sans entendre parler de la commémoration du débarquement allié en Normandie, le 6 juin. Avec mon équipe, nous avions réfléchi au programme des premières dames ce jour-là. Nous avions envisagé d'aller visiter une usine qui avait pu continuer à tourner pendant la guerre grâce à la présence des femmes, quand les maris, frères et fils étaient au combat.

C'est comme si je revivais un accident. Je n'arrive pas à écouter la moindre information sur cette journée sans plonger dans une tristesse sans fond ni retour. Le passé ne cesse de m'envahir, de m'étouffer, comme une vipère s'enroulant autour de mon cou.

Je me retrouve au lit chaque après-midi, incapable d'avancer, de lire, d'écrire. Rien, je ne peux rien faire. Lorsque je sors, personne ne voit rien. On me trouve même radieuse. Je suis incapable de me projeter dans l'avenir. Mes projets professionnels restent flous. À part rester au lit ce vendredi avec quelques somnifères, je ne vois pas comment traverser cette journée. Encore une fois, des amies me sauveront de ce jour maudit qui me ramène tant au passé.

Comme pour jeter du sel sur mes plaies, François continue à me harceler par SMS. Avant-hier, il m'assure ne penser qu'à moi. Hier, il me supplie de le revoir. Ce matin, il m'écrit qu'il veut me retrouver quel que soit le prix à payer. Parfois, il m'envoie des dizaines de textos par jour. Des phrases courtes et lancinantes sur le manque, la réparation, le besoin de reprendre notre vie d'avant. Il semble las de tout perdre, à la fois dans sa vie privée et dans sa vie publique.

Quand il n'a pas de réception ni de dîner officiel, il me propose de dîner avec lui. Il essaie de surveiller mes sorties, mes déplacements. À New York, comme à Marrakech, des fleurs de sa part m'attendent dans ma chambre d'hôtel sans que je lui donne le nom de l'endroit où je descends. Il multiplie les gestes symboliques et les déclarations enflammées.

Mais il continue à me mentir, à faire des promesses qu'il ne tient pas. Il me paraît impossible de revenir vers lui, je sais qu'il ne changera pas. Pendant qu'il me supplie, il transforme « l'aile Madame » en bureaux pour ses collaborateurs dont le nombre ne cesse de grandir. Personne n'est encore dans mon ancien bureau. J'attends.

Il assure être prêt à des excuses publiques. Je n'y crois pas. Je ne crois plus à aucune de ses paroles. Chacun de ses mensonges a lacéré cet amour immense que nous avions l'un pour l'autre.

Le 6 juin, plusieurs événements se télescopent une fois de plus. Les célébrations pour les soixante-dix ans du D-Day débutent. Comme je l'appréhendais, je ne peux pas écouter la moindre information à ce sujet. Encore moins voir la moindre image. La veille, j'ai écrit un tweet à propos de Poutine après son interview sur TF1 : « Heureuse de ne pas avoir à serrer la main de Poutine. » Ses propos phallocrates – bien ou mal traduits – m'ont révoltée. Mais pas seulement. L'ensemble de son œuvre m'a poussée à écrire ces quelques mots : le racisme et l'homophobie, le désir de conquête territoriale en Ukraine, les privations de liberté...

Les commentaires sont partagés. Je suis soutenue par une partie des anonymes et insultée par d'autres, toujours sur le même thème : « Au nom de quoi prenez-vous la parole, vous n'êtes rien, vous, la cocue de la République. » Que leur répondre ? Je m'exprime comme les sept millions de personnes qui utilisent ce réseau social ; ils sont libres de m'ignorer.

J'apprends que *Closer* annonce en une que François voit toujours Julie Gayet en cachette. Il me jure aussitôt par texto que non, que tout est faux. J'ai l'impression de revenir des mois en arrière, au moment où il démentait avec acharnement la rumeur persistante, cette « faribole ».

Il m'assure que cette fois, il ne ment plus, qu'il n'a plus de raison de le faire. Je recherche sur l'écran de mon téléphone. Je trouve ses messages amoureux de la veille, où il me promet qu'il me retrouvera où que je sois, que nous revivrons ensemble. Cette histoire devient folle, un trompe-l'œil et un jeu de miroirs dans lequel il est impossible de distinguer la vérité.

François se démène. Entre son dîner avec Barack Obama et son souper avec Vladimir Poutine, il trouve le temps de m'écrire un nouveau texto pour démentir les informations du jour et m'assurer que je suis l'amour de sa vie. Tout se superpose et le temps se dilate. Le président de la République essaie de ranimer notre histoire d'amour qui n'en finit pas de finir, tout en traitant des affaires du monde les plus sensibles, à la veille de commémorations majestueuses. C'est un politique, capable de mener deux ou trois vies parallèles, d'agir sur tous les fronts à la fois.

Qu'il me mente ou non, après tout, cela change-t-il quelque chose pour moi ? J'ai décidé de tourner la page. Ce nouveau rebondissement m'y aide, évidemment. Il me convainc que François ne changera jamais. Que le mensonge est ancré en lui, comme le lierre se mêle à l'arbre.

« Les hommes de pouvoir perdent très vite le sens des limites », m'explique le psychiatre qui m'a suivie après l'hospitalisation. On appelle cela « le syndrome du gagnant ».

J'ai assisté au changement de cet homme. En 2010, lorsque nous arrivons à l'université d'été du PS à La Rochelle, il a beaucoup maigri. Je l'ai encouragé, aidé, mais pas forcé. Nous sommes tous les deux au mieux de notre forme. Nous avons passé un mois et demi de vacances. J'essaie de le préparer aux réactions de la presse et aux interprétations qui vont être faites de ce changement physique. Il n'y croit pas. Il trouve stupide qu'on puisse penser qu'il serait candidat parce que la balance affiche douze kilos de moins. Mais c'est bien ainsi que tous les journalistes et de nombreux électeurs socialistes comprennent son changement physique, comme une preuve de détermination.

Il est la vedette de cette rentrée. Après cinq ans de disgrâce et de désert, il tient un début de revanche. On me prête alors une influence positive sur lui. Ces commentaires favorables ne dureront pas. Le nouveau look, le choix des cravates et l'abandon des chemisettes, cela peut relever de mon domaine. Mais rien de plus.

La bande de machos qui l'entoure ne veut pas entendre parler de moi sur le plan politique, alors que je suis journaliste politique depuis dix-huit ans. Je participe donc à très peu de rencontres avec ses « amis ».

François tient cependant à ce que j'assiste à une réunion importante, lorsque au début de 2011 se décide la façon dont il va annoncer sa candidature.

Nous ne sommes pas plus de huit participants (je suis la seule femme), pour garantir un minimum de confidentialité. Il y a là ses quatre plus proches amis politiques et deux spécialistes de la communication. Je me sens petite chose parmi eux.

Jusqu'au moment où ils dévoilent leur plan : une interview dans la presse quotidienne régionale. Je n'en reviens pas de tant de banalité. Je leur rappelle que c'est de cette façon que Jacques Chirac s'était lancé dans la course en novembre 1994.

– Mais il s'agit de prendre le moins de risques possible, me rétorque l'un d'entre eux.

– Alors autant ne pas être candidat, s'il ne faut prendre aucun risque.

Je pense qu'à partir de ce jour ils m'ont regardée d'un mauvais œil. J'ai osé défier cette bande de coqs qui rêvaient du pouvoir sans y être préparés. François envisage d'abord une déclaration solennelle depuis son fief de Tulle et cette idée me paraît bien meilleure. La conversation continue

sans qu'aucune décision ne soit prise. En sortant, François me demande ce que j'en pense :
– La meilleure solution est celle que tu sens, toi. Tu seras bon, je n'ai aucun doute.
Et l'hypothèse de Tulle est retenue.

Cependant le chemin est long et peu fréquenté. Personne ne prend au sérieux sa candidature aux primaires socialistes. François a mis pour condition son élection à la tête du conseil général de Corrèze. Pour tout le monde, il s'agit d'un faux challenge, mais le risque est réel. Il saute ce premier obstacle.

Le jour de l'annonce de sa candidature, le 31 mars 2011, nous convenons ensemble que je ne serai pas présente. Il ne veut pas donner le sentiment d'un couple partant en campagne. Quant à moi, je poursuis encore mon émission politique, « Portraits de campagne », sur Direct8, il est difficile de m'afficher à ses côtés. C'est l'un des pires moments de frustration de ma vie, une torture de ne pas être sur place.

Je prévois de regarder en direct sur mon ordinateur, enfermée seule dans mon bureau de *Paris-Match*. Heureusement qu'un confrère me prévient que l'heure de la déclaration est avancée. Sinon, je l'aurais ratée. Aucun membre de son équipe ne songe à m'avertir. J'ai juste le temps de prendre le train en marche.

« Je n'accepte pas l'état dans lequel se trouve la France, je ne me résous pas à ce pessimisme... Je ne supporte pas la souffrance dans laquelle vivent trop de concitoyens. » Le ton est ferme et bon, 8 minutes 17 secondes durant. « Mettre la France en avant », martèle-t-il avec une assurance nouvelle. « J'ai décidé de présenter ma candidature à l'élection présidentielle à travers la primaire socialiste. » Les applaudissements fusent en même temps que les « François Président ».

Je m'effondre en larmes, d'émotion et d'immense frustration mêlées. Je regrette tellement de ne pas être à ses côtés. J'attends son appel avec une fébrilité de jeune fille. Il viendra mais sera tellement bref, François s'apprête à monter dans la voiture avec un journaliste pour rentrer à Paris. Pas le temps de badiner. Je l'attends pour le dîner, nous avons prévu d'aller au restaurant pour fêter ça. Lorsqu'il arrive, nouvelle déception. Son équipe a prévu de le faire partir pour Boulogne-sur-Mer, je crois, afin qu'il soit avec les pêcheurs dès l'aube. Il ne dispose que d'une demi-heure. Encore une fois, personne ne pense à me prévenir. Pas même lui.

J'appelle Stéphane Le Foll et nous avons une violente altercation. Il me déclare que désormais si je veux une soirée avec François, il faut que je passe par lui. Impensable.

J'accepte l'idée de la campagne, je veux bien que notre vie privée ne soit plus la même. Mais il est hors de question de demander un rendez-vous à qui que ce soit pour le voir. Le Foll et moi restons campés sur nos positions, car nous savons que le terrain perdu par l'un ou par l'autre ne se rattrapera plus.

François coupe finalement la poire en deux, comme il sait si bien le faire. Nous allons dîner ensemble en amoureux, il prend la route ensuite. Tout est dit : nous allons devoir les uns et les autres vivre avec l'incertitude, au gré des décisions ou des non-décisions de François.

Un sentiment de perte naît en moi à ce moment-là. Plus la campagne pour les primaires avancera, plus j'aurai l'impression, non pas de sortir du film, mais d'entrer dans un film muet. Je ne suis au courant de rien ou presque. Je n'accompagne pas François dans ses déplacements, pour rester discrète.

Je suis seulement présente au premier meeting à Clichy. Au fond de la salle, comme une inconnue. Tellement inconnue que j'attends François une heure et demie à la sortie dans ma voiture, après qu'on m'a vidée des lieux parce que le théâtre ferme. François est dans une salle annexe, avec les journalistes, sa compagnie préférée. Il ne me prévient pas. Sa candidature l'envahit, je passe dans le décor, dans l'arrière-salle.

Ah l'entourage ! D'un côté, ils sont nombreux à venir me dire que je l'ai transformé. De l'autre, sa garde rapprochée m'éloigne autant que possible. Pas question que je leur prenne « leur François ». Une rivalité se met en place. Classique. Mais que veulent-ils ? Que croient-ils ? Sommes-nous sur le même registre ? Évidemment non. C'est puéril.

Beaucoup doutent de l'avenir de sa candidature. Lorsque sont organisées les premières rencontres de « Répondre à gauche », le club politique des hollandais, les rangs sont plus que clairsemés. Je suis là, toujours au dernier rang. Il fait comme si nous ne nous connaissions pas. Je mets cela sur le compte de la pudeur. Il commence à exposer ses thèmes de campagne autour de la jeunesse, mais devant un public clairsemé. Même les journalistes sont rares.

Les sondages ne décollent pas. Il reste stoïque, ne montre aucun signe de découragement, même devant moi. Il reste impressionnant de détermination. Pour la presse, la vraie campagne ne commencera qu'avec l'entrée en lice de Dominique Strauss-Kahn. Le milieu parisien me sonde afin de savoir si François va aller jusqu'au bout. J'ai beau leur répéter que oui, personne ne me croit. J'en suis pourtant convaincue, je le sais déterminé comme jamais.

Il est certain de battre DSK. Il sent ce besoin de gauche, cette nécessité d'aller à l'encontre du personnage de Sarkozy, sa démesure, sa fascination pour l'argent, ses transgressions. Pour François, DSK et Sarkozy sont similaires. Combien de fois sur des marchés, des gens l'arrêtent en lui disant :

– Vous, au moins, vous êtes comme nous.

Ou encore :

– Le cow-boy, nous, on n'en veut pas.

Un rendez-vous secret est organisé entre DSK et lui par l'intermédiaire de l'écrivain Dan Franck, à son domicile, face au restaurant La Closerie des Lilas. Je dépose François avec ma voiture et vais l'attendre au bar. « L'Américain » voulait sonder « le Corrézien ».

François me dit ensuite avoir confirmé qu'il ne se retirerait pas. Ce n'est pas l'interprétation de DSK. Qui dit vrai ? Ils ne sont que deux pour cette partie de poker menteur.

Le 15 mai 2011, comme souvent le week-end quand il fait beau, nous allons dans ma maison de L'Isle-Adam. Il aime s'occuper du jardin, faire le marché le dimanche et nous faisons ensuite honneur à la viande de Jean-Jacques, mon boucher favori depuis des années. Il l'est d'ailleurs toujours !

Ce samedi-là, nous nous couchons un peu avant minuit. Je garde toujours près de moi mon téléphone portable, comme n'importe quelle mère inquiète quand ses enfants sont sortis.

Une heure plus tard, alors que je commence enfin à trouver le sommeil, mon téléphone se met à vibrer. Un ami, présent au Festival de Cannes où je dois me rendre le lendemain pour mon émission, m'avertit de l'arrestation de Strauss-Kahn. Puis un deuxième et un troisième messages. Je réveille François. Je lui explique de quoi il s'agit.

– Rendors-toi, tout ça ce sont des conneries, me dit-il en me tournant le dos.

Jamais il n'a voulu entendre les rumeurs concernant les écarts sexuels de son rival. C'est l'une de ses qualités, il n'écoute pas les mauvais bruits de la ville, surtout quand il s'agit de salir. Il replonge dans le sommeil. Impossible pour moi. Je pianote sur Internet et je trouve des sources plus fiables, de grands journaux américains.

Je ne me souviens plus de l'heure, 2, 3 heures du matin ?

Je le réveille à nouveau :

– Je t'assure, il se passe quelque chose de grave, la presse américaine l'annonce : Strauss-Kahn a été arrêté pour viol.

Cette fois-ci, il bondit, se cale contre l'oreiller et regarde à son tour son iPhone. Pas une minute à se gausser de DSK, François est déjà mentalement dans le coup d'après.

– Ce n'est pas une bonne nouvelle, il risque d'y avoir un réflexe de légitimité autour de Martine Aubry.

Nos téléphones se mettent à sonner tous azimuts, des appels de sa garde rapprochée et des journalistes qui veulent des déclarations. Nous ne fermons pas l'œil de la nuit ou presque. Chacun connaît le délire médiatique qui suit, cette boule de neige planétaire, où des milliers de journalistes, vrais et faux enquêteurs, épaulés par des centaines de commentateurs pleins d'aplomb, se lancent dans une surenchère d'« informations ». Les experts surgissent de nulle part, on assiste à un nombre incalculable d'heures de direct, avec l'éternel ballet de voitures aux vitres teintées et d'événements de vingt secondes passés en boucle, pendant que des dizaines de rumeurs invérifiées sont aspirées et recyclées par la machine folle. Je n'imagine pas qu'un jour je serai concernée à mon tour par cette dinguerie.

François est totalement déstabilisé. Il a construit son plan de campagne contre DSK, il faut tout rebâtir. Comme il le redoute, des voix s'expriment pour demander l'arrêt des primaires et la désignation de la première secrétaire du PS, Martine Aubry, comme candidate unique.

Le premier à la soutenir est Claude Bartolone. Quelques jours plus tôt, il a dîné à la maison avec sa femme. Il a annoncé qu'il opterait pour DSK mais que si ce dernier renonçait, ce serait François et en aucun cas Martine Aubry. Il critique ce soir-là Aubry en disant qu'elle est « folle et instable » et l'attaque sur son comportement privé. François n'était donc que le deuxième choix de Bartolone mais sa franchise m'avait plu. Le même homme retourne sa veste avec une facilité déconcertante. Je ne peux pas comprendre une telle trahison. Je lui dis ce que je pense par SMS. Mais ce n'est là qu'un échantillon du comportement humain dans le vivier vipérin de la politique.

L'entrée en campagne pour les primaires de Ségolène Royal vient compliquer encore la situation... Nous sommes à la fin de juin 2011. Jusqu'au dernier moment, François est convaincu qu'elle va renoncer. Il se trompe. La presse se réjouit de ce combat entre les deux « ex ». Les primaires menacent de se transformer en un face-à-face exceptionnel, une revanche à prendre sur 2007, la défaite et la séparation.

En fait, l'affrontement tourne court. Ségolène Royal est sans pitié et déclare à la télévision : « Citez-moi une seule réalisation de François Hollande en trente ans de vie politique ? » Son outrance facilite le duel. François ne rétorque jamais. Il sait qu'une attaque frontale serait mal vue par l'opinion. Et puis il y a les enfants qui doivent vivre un moment douloureux. Lorsqu'ils viennent déjeuner ou dîner rue Cauchy, le sujet n'est jamais abordé. Pas en ma présence, en tout cas.

Après le premier tour, François et Martine Aubry restent seuls en lice. Par la radio, au volant de ma voiture, j'apprends que François a conclu un accord avec Ségolène Royal. Je suis si stupéfaite que je suis à deux doigts de heurter le véhicule qui me précède. Il ne m'a rien dit.

Je comprends à nouveau qu'il est incapable d'aborder les choses clairement, même les plus simples. Je sais ce que Ségolène Royal lui a demandé en échange de son ralliement, y compris financièrement, et je ne doute pas qu'elle ait obtenu gain de cause.

J'écris un tweet pour la féliciter de « son ralliement sincère et désintéressé ». Mon ironie n'est compréhensible que d'un petit cercle d'initiés. À l'époque, je pense que l'apaisement m'oblige à accepter les dissimulations et les non-dits de François et que je dois passer outre. Aujourd'hui je sais le prix des mensonges. Je ne les supporte plus.

Je suis pourtant François dans sa campagne comme on s'accroche à un homme aimé qui vous entraîne. Je l'accompagne dans son rêve. La réciproque n'est pas vraie. Lorsque j'abandonne mon émission politique à la rentrée 2011, quand la primaire socialiste bat son plein, je m'oriente vers des interviews d'artistes, toujours sur Direct8.

Je mène une émission intitulée « Itinéraires ». J'y interviewe Joey Starr, Maïwenn, Jamel Debbouze et d'autres, François n'en regarde aucune. Alors qu'un jour je lui parle d'« Itinéraires », il se tourne vers moi et m'interroge :

– C'est quoi, « Itinéraires » ?

Je suis stupéfaite : l'homme de ma vie ne connaît même pas le nom de l'émission que j'anime. Rien de ce que je fais ne l'intéresse, pas plus mon travail à la télévision que mes chroniques littéraires dans *Paris-Match*. Il ne les lit pas. Je le vois sauter les pages culturelles pour aller plus vite à la rubrique politique.

J'avais tellement d'importance à ses yeux autrefois quand j'étais journaliste politique. Rien ne passionne François en dehors de la politique. Rien ni personne. La littérature ne l'intéresse pas, pas davantage le théâtre ou la musique. Un peu le cinéma, peut-être. Son cercle d'amis s'est arrêté à la promotion Voltaire. Hors de la politique point de salut. Personne n'a plus de valeur qu'un journaliste politique. Lorsqu'on m'interroge pour savoir si les journalistes peuvent être jaloux de moi, je réponds que non, c'est l'inverse. Que moi, je suis jalouse d'eux. De la complicité qu'il partage avec nombre d'entre eux, de la fascination qu'ils exercent sur lui. J'en croise d'ailleurs certains à la maison, venus conseiller le candidat...

Malgré cela, je persiste à être amoureuse de lui. Exclusivement amoureuse de lui. Les vacances d'été qui suivent l'annonce de sa candidature n'en sont pas. Il ne veut pas quitter la France et compte faire campagne pendant cette période. Il nous rejoint à Hossegor, là où je loue une maison pour les vacances avec mes enfants. Quand ils partent retrouver leur père, nous sillonnons tous les deux l'intérieur du Pays basque, que je connais peu.

Nous trouvons une petite auberge, le rêve pour moi. Chaque étape est une occasion pour lui de rencontrer les élus, de tenter de les rallier à sa cause. C'est ainsi que nous nous retrouvons à assister à une pastorale, quatre heures de chants basques par 14 °C, en plein mois d'août. Une opération utile, le sénateur s'est rallié ! Chaque voix compte et je le comprends.

François tisse sa toile. Patiemment. Nous allons ensemble à Latche, l'antre de François Mitterrand. Son fils Gilbert Mitterrand nous reçoit. Danielle est là, affaiblie mais heureuse, entourée de ses petites-filles et de ses arrière-petits-fils. Elle nous reçoit chaleureusement. Nous n'étions jamais venus, ni lui, ni moi. Quelle émotion de découvrir ce lieu, cette bergerie, là où Mitterrand aimait se retirer.

Rien n'a bougé. Pas même sa collection de livres de poche. Il a reçu là plusieurs chefs d'État. Gilbert tient à garder le lieu tel qu'il est, avec sa poussière, comme si le temps s'était arrêté. Les ânes portent toujours les mêmes noms, « Noisette » et « Marron ». Les animaux n'étant pas immortels, ils ont été remplacés depuis la mort de leur propriétaire. Les arbres sont « ses » arbres, ceux à qui Mitterrand parlait. Ils sont enracinés comme Mitterrand le sera toujours dans l'Histoire. Je mesure ma chance d'être là, de commencer à vivre une aventure hors norme.

Au lendemain de sa victoire contre Martine Aubry, François est heureux comme jamais. Après une courte nuit, nous restons un moment au lit, en écoutant les radios. Les journaux d'information ouvrent sur sa désignation comme candidat PS. Son visage irradie d'un bonheur intense. J'ai toujours cette photo dans la mémoire de mon iPhone… Une image de béatitude, de plénitude. Une expression que je ne lui ai encore jamais vue. Depuis le premier jour, je suis convaincue que s'il remporte la primaire socialiste, il gagnera l'élection présidentielle. Je n'ai aucun doute là-dessus, et je crois que lui non plus.

Pendant toute la campagne officielle, il reste dans un état de concentration extrême et de maîtrise totale de lui-même. La position de favori comporte un risque : le moindre faux pas peut coûter cher. La semaine qui précède le grand meeting du Bourget, point d'orgue de sa campagne, François s'enferme trois jours rue Cauchy.

Aquilino Morelle, l'homme aux souliers cirés, a revendiqué la paternité du discours du Bourget. La vérité est tout autre. François travaille sur la table de la salle à manger, recouverte de notes. Des pages et des pages jonchent le sol. Je me réfugie dans la chambre pour ne pas le déranger.

Je suis sa petite main : il vient me voir de temps en temps pour me demander de lui imprimer de nouvelles notes qui arrivent sur sa boîte mail, car il ne sait pas le faire seul.

Chaque heure, j'écoute la radio. Je mesure l'attente créée par son discours. Les commentateurs annoncent une déclaration qui comporte une part intime, celle qu'il n'a encore jamais livrée au public. L'élection présidentielle est la rencontre entre un homme et un peuple. Le soir, je lui demande s'il accepte de me faire lire son texte. Il me le donne. Je le lis et ne trouve rien d'intime, rien sur lui, rien sur son histoire. J'attends que nous soyons couchés et dans le noir pour lui donner mon avis :

– Pourquoi tu ne dis rien de personnel, rien sur ce que tu dois à tes parents ? Pourquoi tu ne dis pas que tu aimes les gens ? Tu vas décevoir tout le monde. Il faut donner de toi-même, c'est ce qu'on attend de toi.

François me répond à peine, mais je l'entends qui se lève et retourne travailler. Il me confie le lendemain la nouvelle mouture. C'est mieux, mais ce n'est pas encore assez. Je repars à l'assaut. Il approfondit encore. J'ai le sentiment de l'aider à accoucher de lui-même. Quelques paragraphes, rien de plus, mais qui feront la différence pour les journalistes.

Djamel Bensalah a réalisé le film de campagne qui sera diffusé devant les militants au Bourget et veut nous

le montrer. François ne veut rien entendre, rien voir pour se concentrer sur son discours. Je demande à Djamel de m'attendre en bas de l'immeuble. Je regarde le film dans sa voiture, sur son ordinateur. Il est très réussi, très rythmé, il porte le souffle de la campagne. Cependant, je vois aussitôt un problème :
– Djamel, ce n'est pas possible. Il n'y a aucune image de Ségolène Royal ! Et c'est à moi qu'on va le reprocher.
– Ça n'a rien à voir ni avec toi ni avec elle. Ce n'est pas un documentaire d'archives. Volontairement, le film ne montre que des succès, c'est mon choix de réalisateur.
– Tout le monde va me tomber dessus.

J'insiste, mais il n'y croit pas. Il ne sait pas que la machine infernale est lancée : chaque mot, chaque fait est dépecé, analysé et surinterprété avec le filtre de notre histoire. J'ai vu juste. Le meeting du Bourget est une réussite éclatante, François est excellent, impressionnant, mais la seule ombre au tableau, c'est l'impair du film.

Au-delà de nos différends, j'imagine la morsure que Ségolène Royal a pu ressentir, elle, la femme politique orgueilleuse et finaliste de la dernière élection présidentielle, en découvrant ce film, qui ne comporte aucune image de sa campagne, au milieu de dizaines de milliers de militants en liesse…

Son entourage et la presse m'attribuent d'une seule voix son occultation. Djamel Bensalah m'envoie aussitôt un immense bouquet de fleurs pour s'excuser, mais la vérité médiatique l'emporte évidemment sur son démenti.

Cet épisode relance le feuilleton des relations Hollande/Royal. Au début de la campagne, François me donne sa parole qu'il ne fera jamais de meeting en commun avec Ségolène Royal, sinon en groupe avec d'autres leaders socialistes. Évidemment, pressions médiatique et politique obligent, une rencontre publique est quand même organisée, à Rennes, entre les deux candidats PS successifs à l'Élysée.

Nous traversons ce jour-là quelques heures éprouvantes d'hystérie collective à laquelle se mêle la mienne. Je ressens au sens littéral du terme la définition du dictionnaire, c'est-à-dire « des excès émotionnels incontrôlables » : il m'est physiquement impossible de les voir tous les deux main dans la main sur scène, alors que justement tout le monde veut ce geste, les médias comme les militants. Je suis impuissante devant ce désir collectif de les voir côte à côte.

Je suis à peine arrivée au parc expos de Rennes qu'un journaliste suivi d'un caméraman me saute dessus et m'apostrophe :
– Qu'est-ce que ça vous fait de voir le couple Hollande/Royal se reconstituer ?
Comme un uppercut, c'est la question qui fait mal, sans

détour, sans pudeur. Je lui tourne le dos en silence. Un masque à l'extérieur, le feu à l'intérieur. Un autre journaliste m'accompagne à ce moment-là et je me souviens encore de son regard effaré quand il me dit :
– Je comprends maintenant ce que vous vivez.

Voyant ma fébrilité, l'équipe de François me propose de l'accompagner lors de sa traversée de la salle immense. Je trouve ça grotesque et refuse. Je reste enfermée dans la loge, dans un état de tension extrême, le temps du discours de Ségolène Royal et du passage de relais de l'un à l'autre. Le matin, François m'a apporté des garanties : tous les deux ne seront pas ensemble sur scène, ils se comporteront en politiques et non en people... Nous avons un échange tendu dans la loge. Le ton monte. Je connais suffisamment le caractère de Ségolène Royal pour savoir ce qui va advenir. Contrairement à ce qui a été convenu, elle revient évidemment sur scène pour se faire acclamer avec lui. C'était tellement prévisible ! Elle ne peut pas résister devant une si belle occasion de partager la lumière et de réaffirmer sa prééminence. Je touche le fond, envahie par le sentiment que François et moi nous ne formerons jamais un couple reconnu.

Alors que j'ai l'impression d'être anéantie, une idée germe en moi. Lors du meeting du Bourget, je suis allée à la rencontre de Ségolène Royal, mais elle s'est détournée en me voyant arriver. Je n'ai donc pas insisté. Je sais qu'elle refuse de me serrer la main. Je décide de la coincer. J'attends qu'elle regagne sa place. Je fais signe à quelques photographes et je m'avance droit vers elle. Je lui fais un coup… à la Royal. Elle est obligée de me serrer la main. C'est puéril de ma part, je le sais. Mais je suis satisfaite : cette image-là restera aussi.

L'épisode de Rennes n'est glorieux pour personne, et d'abord pas pour moi. J'ai perdu le contrôle de mes émotions. Je me sens tellement mal d'être à fleur de peau, tendue comme un arc. Et je mesure une fois de plus combien le double langage permanent de François me fait souffrir. Il ne sait décidément pas gérer la situation entre la mère de ses enfants et moi, et il ne fait rien pour me rassurer. Et moi je n'ai ni les ressources, ni une confiance en moi suffisante pour passer outre. Je comprends que la dimension publique et médiatique de cette histoire nous condamne à vivre sur un champ de braises, dans l'inconfort permanent.

Dans l'univers ultra-médiatisé et ultra-connecté qui est devenu le nôtre, où chaque fait et geste sont un sujet de commentaires et de buzz, les affaires privées ont désormais bien du mal à se régler en privé. J'emploie l'expression à dessein, car c'est moi qui l'ai trouvée, après « l'affaire du tweet »…

La veille du 14 juillet 2012 et de sa première intervention télévisée après son élection, François prépare ses réponses aux questions que les journalistes risquent de lui poser. Il ne sait pas comment tourner la page de « l'affaire ». Je lui souffle la réplique « les affaires privées doivent se traiter en privé ». Le lendemain, la formule fait mouche. Les journalistes l'interprètent comme une condamnation cinglante de ma conduite, sans imaginer que je me suis infligé ce rappel à l'ordre moi-même.

Juste après son intervention télévisée suivant le défilé sur les Champs-Élysées, j'accompagne le Président dans un déplacement à Brest. François passe l'après-midi à me fuir ou à cavaler loin devant, à part un court moment sur le pont d'un bateau, où les photographes réussissent à nous shooter ensemble, mais pas seuls. J'essaie de le suivre, comme son caniche, sans savoir encore que je finirai bientôt par devenir « l'ombre de son chien » avec une laisse trop courte.

J'ose pourtant un trait d'humour devant les journalistes en déclarant :

– Désormais je tournerai sept fois mon pouce avant de tweeter !

La réponse est appréciée, mais cela ne lui plaît pas.

Est-ce la faille du tweet, la vanité du Président tout neuf ou le « syndrome du gagnant », qui menace les leaders accédant au pouvoir et leur fait perdre toute empathie pour autrui ? En tous les cas, dans les semaines qui suivent son élection, je constate l'inversion de ses sentiments à mon égard. Il m'en veut de tout. Alors que je suis la cible des médias, il n'a pas un mot gentil, pas une phrase de consolation ou de soutien. Au contraire.

Le premier article positif paraît six mois plus tard dans *Le Monde,* le jour du Noël des enfants à l'Élysée à la mi-décembre. Lorsque François le découvre, il s'énerve contre moi d'une manière que je ne lui connais pas, sans que je comprenne pourquoi. Je m'effondre en larmes. Je finis par comprendre que *Le Monde,* c'est « son » journal, qui ne doit parler que de lui, tandis que je dois me faire oublier.

Notre amour heureux est loin. Au fond de lui, il veut que je m'efface, que je sois transparente. Mais il ne me le dit pas clairement, il réagit à contretemps et cela me désoriente.

Il en devient goujat. Juste avant un dîner d'État, alors qu'il me complimente sur ma tenue, il me demande soudain :
– Ça te prend beaucoup de temps pour être aussi belle ?
– Oui, un peu.
– En même temps, on ne te demande rien d'autre.
Je crois qu'il plaisante, mais non. Il est froid. Il ne sourit pas. À ses yeux, je dois être un faire-valoir mais ne rien

valoir. Alors que je me suis préparée pour lui, pour qu'il soit fier de moi.

Une autre fois, alors qu'il trouve ma robe trop sexy, il m'ordonne : « Va te rhabiller, va te changer. » Je consens seulement à mettre une étole sur mes épaules dévoilées.

Insensiblement, ses remarques acerbes me font perdre confiance en moi. Un autre jour, je lui raconte que j'ai croisé Cécilia Attias au dîner d'Unitaid présidé par Philippe Douste-Blazy, en présence de Bill Clinton, et qu'elle m'a dit :
– Sans toi, Hollande n'aurait jamais été élu.
Je sais quel a été son rôle aussi dans la carrière de Sarkozy et j'avais admiré son courage au moment de son départ. François se fige. Sa réponse est cinglante :
– Si ça te fait plaisir de croire que tu y es pour quelque chose.
Je reste calme :
– Tu vois, certains le pensent, même si toi, ça te gêne.

Je me sens perdue de devoir justifier mon existence dans sa vie. Notre amour représente-t-il encore quelque chose pour lui ?

Je me suis couchée très tard. Je ne parviens ni à me lever ni à me rendormir. Ce n'est pas la première fois depuis notre rupture. Je mets la radio. Elle me berce, je plonge dans un demi-sommeil. Soudain, une émission me captive. Sur France Inter, l'émission « Service public » porte sur l'ascenseur social, avec pour thème « Tout n'est pas joué ».

L'auteur d'un livre-témoignage évoque son enfance à la DDASS et son retour adolescent dans le foyer de sa mère alcoolique et de son beau-père. Il est aujourd'hui PDG d'une PME. Une chercheuse, Chantal Jaquet, auteure des *Transclasses ou la non-reproduction*, prononce une phrase qui me touche de plein fouet :
– Quand on monte, il faut savoir rester soi et on a souvent mal aux autres.

Pourquoi faut-il que j'entende les autres expliquer des évidences pour que je les comprenne enfin ? Depuis la ZUP d'Angers, je suis montée, mais je ne suis plus moi et j'ai mal partout, j'ai mal aux autres.

Tout au long de l'émission de France Inter, le sentiment d'illégitimité revient comme un leitmotiv. Est-ce à cause de mon voyage social que je me suis toujours sentie illégitime, dans mon couple et à l'Élysée ? Pourquoi ai-je tant aimé cet homme qui ne me ressemblait en rien ?

Je me souviens d'un soir, au sortir d'un repas de Noël passé chez ma mère, à Angers, avec tous mes frères et sœurs, les conjoints, neveux et nièces, vingt-cinq personnes en tout. François se tourne vers moi, avec un petit rire de mépris et me jette :

– Elle n'est quand même pas jojo, la famille Massonneau…

Cette phrase est une gifle. Des mois plus tard, elle me brûle encore. Comment François peut-il dire cela de ma propre famille ? « Pas jojo, la famille Massonneau » ? Elle est pourtant tellement typique de ses électeurs.

J'ai longtemps hésité avant de raconter cette anecdote si révélatrice de ce qu'il est, qui va blesser les miens, eux qui étaient si heureux de le connaître et si fiers de le recevoir. Mais je veux me laver de tant de mensonges, sortir de ce livre sans le poids des non-dits.

Je vous demande pardon, à vous ma famille, d'avoir aimé un homme capable de ricaner sur les « Massonneau pas jojo ». Je suis fière de vous. Pas un de mes frères et sœurs n'a dévié. Certains ont réussi, d'autres moins, mais nous savons tous tendre les bras et exprimer notre amour, les mots « famille » et « solidarité » ont un sens concret, alors que pour François, ce ne sont que des abstractions. Pas une seule fois il n'a invité son père à l'Élysée, ni son frère. Il se veut un destin hors norme, un Président orgueilleusement seul.

Mais où faut-il donc être né pour être jojo ? C'est vrai, dans ma famille, personne n'a fait l'ENA ni HEC. Aucun d'entre nous n'a possédé de clinique, ni fait des affaires dans l'immobilier comme son père. Nul n'a de propriété à Mougins sur la Côte d'Azur comme lui. Personne n'est haut fonctionnaire ou célèbre comme les gens qu'il fréquente depuis la promotion Voltaire de l'ENA. Les Massonneau sont une famille de Français modestes. Modestes mais fiers de ce que nous sommes.

Son expression tellement dédaigneuse me hante maintenant que le charme est rompu, que je suis désenvoûtée de son regard. Il s'est présenté comme l'homme qui n'aime pas les riches. En réalité, le Président n'aime pas les pauvres. Lui, l'homme de gauche, dit en privé « les sans-dents », très fier de son trait d'humour.

J'ai repensé avec amertume au « pas jojo » en apprenant que François s'est rendu au cours de sa liaison dans le somptueux château des parents de Julie Gayet, avec ses façades du XVIIe au milieu d'un parc magnifique. Cela a plus d'allure qu'une maison HLM dans une ZUP nord de province. C'est beaucoup mieux qu'un mobile home installé dans un camping sans étoile pas trop loin de la mer.

Voilà une famille comme François les aime : un grand-père chirurgien, une mère antiquaire, un père médecin renommé et conseiller de ministres. Un petit monde « bien jojo », « bien bobo », au goût sûr et raffiné, où les convives sont célèbres, où tout le monde vote à gauche mais ne connaît pas le montant du SMIC. Chez moi, pas besoin de notes rédigées par des conseillers pour le savoir, il suffit de regarder au bas de la fiche de paie.

On m'a prise pour une bourgeoise, glaciale et méchante, je n'étais tout simplement pas à ma place. Doublement illégitime. Après le communiqué de rupture, ma famille a fait bloc. On ne se renie pas chez les Massonneau. Tous m'ont soutenue. Cet homme qui leur racontait des blagues à table pour avoir l'air sympa s'ennuyait chez les « pas jojo » et leur préférait les dîners en ville. Ils auraient pourtant bien des choses à lui apprendre sur ce que ressentent les Français : chez eux on ne biaise pas, on ne ment pas, on dit les choses les yeux dans les yeux.

Pourtant un jour, François, si ambivalent, m'a dit aussi :
– Ce que j'aime chez toi, c'est que tu n'oublies jamais d'où tu viens.

Comment l'oublierais-je ? Moi, dont la rumeur m'affuble d'une fortune colossale, héritée d'un grand-père banquier, mort avant ma naissance, comme s'il était impossible en France de traverser les strates sociales à contresens. Ma mère aurait-elle été caissière si nous avions possédé cette fortune ? Un enfant de cinq ans comprendrait que cela ne tient pas, mais la rumeur tenace perdure encore et s'affiche toujours sur Wikipédia.

Non, je n'ai pas de château ni de propriété, comme d'autres premières dames avant moi, Carla Bruni, Bernadette Chirac ou encore Anne-Aymone Giscard d'Estaing. Mais notre maison HLM a eu pour moi l'allure d'un palais, la première fois que j'ai franchi la porte d'entrée. J'avais à peine quatre ans, nous venions d'une tour composée de logements sociaux. Il s'agissait là d'une maison, avec un jardin. Et même si nous dormions à quatre dans la même chambre, oui, c'était un palais.

Mais décidément, j'avais tous les défauts pour le rôle : pas mariée, pas fortunée, le besoin de travailler… Cela ne fait pas une vraie première dame. Je l'ai pourtant brisé, mon plafond de verre, le jour où j'ai foulé le tapis rouge. Si bien brisé que des milliers d'éclats m'ont tailladée au passage.

J'ai mis du cœur dès mon arrivée à l'Élysée. Tout de suite, je reçois l'ancienne équipe de Carla Bruni. À sa chargée de mission comme à chacune des assistantes, je demande ce qu'elles souhaitent faire. Malgré la réputation d'hystérique qui m'a précédée, elles décident de rester en place. Toutes. Je ne crois pas qu'elles l'aient regretté, au contraire. Nous avons vécu des moments forts ensemble.

Je suis à peine arrivée qu'elles m'aident à entrer dans le vif du sujet et à préparer le déplacement du Président aux États-Unis. On me demande de choisir un cadeau pour Michelle Obama. J'opte pour des produits fabriqués en Corrèze, un sac et des produits de beauté, un cadeau au coût dérisoire par rapport aux habitudes et un clin d'œil aux Corréziens.

Quelques jours après l'élection, je m'envole aux côtés du Président pour Washington. En montant dans l'avion présidentiel, je découvre ce que la presse a appelé « Air Sarkozy » : une grande chambre, une salle de bains, un bureau pour le Président et une salle de réunion ou de déjeuner. Onze à table. La plupart du temps les ministres, ainsi que le général Puga, chef d'état-major et Paul-Jean Ortiz, conseiller diplomatique, malheureusement décédé depuis. Deux hommes de grande valeur. En dehors de Laurent Fabius, il ne faut pas être expert pour comprendre que la plupart des nouveaux ministres n'ont pas le niveau. Je suis affligée de ce que j'entends. Je les observe en silence, en me demandant comment tel ou tel a pu être nommé ministre. Équilibre de courant, équilibre de sexe, équilibre régional ou de parti. Peu sont là pour leur compétence. Cela crève les yeux de l'ancienne journaliste politique que je suis toujours au fond de moi. La presse critique leur amateurisme. Si j'étais toujours au service politique de *Match,* écrirais-je autre chose ? Mais je me tais.

À Washington, j'ai l'impression étrange d'être actrice dans un film dont je suis moi-même spectatrice. L'épouse de l'ambassadeur me prend en charge. Elle organise des rencontres avec la presse américaine. Je suscite la curiosité : je suis « la Française qui continue à travailler » et « la première femme de Président non mariée ». Je reste une consœur à leurs yeux et le contact passe bien.

Je ne fais pas partie du programme présidentiel, car ce n'est pas un voyage d'État : François Hollande participe à un conseil de l'OTAN. Je réalise que je repartirai des États-Unis sans avoir croisé Barack Obama. Cela m'aurait excitée de le rencontrer. J'accomplis le programme « de ces dames ». Être reçue à la Maison-Blanche par Michelle Obama est un honneur que je mesure. Elle nous attend, postée dans le hall d'entrée, et reçoit chacune d'entre nous. Nous sommes huit premières dames. Elle nous serre dans ses bras comme si nous étions amies. À l'américaine.

Michelle Obama est la personne qui m'a le plus impressionnée au cours de ces dernières années. Physiquement d'abord. Malgré mes très hauts talons, je lui arrive aux épaules. Quant au savoir-faire, je ne lui arrive pas à la cheville. Elle est grande, belle et beaucoup plus fine que les images ne le reflètent. Elle a du charisme, c'est palpable. Elle dégage une aura qui en impose. Elle déploie ses longs bras comme des ailes de cygne.

Michelle Obama joue la parfaite maîtresse de maison et nous fait visiter la Maison-Blanche avant de passer à table. Je me parle intérieurement pour prendre conscience de là où je suis. Je me répète que je ne dois pas perdre une seconde de ces moments que le destin m'offre. La *first lady* s'est renseignée sur chacune d'entre nous. Nous échangeons quelques instants à propos de mes projets avec la fondation Danielle-Mitterrand. Avec mon anglais bancal, je l'interroge sur son programme contre l'obésité. Elle me confie qu'il lui a fallu un an après l'élection pour trouver ses marques dans ce rôle si particulier de première dame. Tout le monde a oublié qu'à ses débuts elle a fait des déclarations fracassantes sur son mari et ses chaussettes sales, perçues négativement par les Américains qui ont eu du mal à s'habituer au premier couple noir à la Maison-Blanche.

En professionnelle, Michelle Obama accorde le même temps d'entretien à chaque première dame. La conversation est assez banale. Je l'observe. Je m'interroge sur elle, si parfaite et si impénétrable en réalité. Prend-elle du plaisir à nous recevoir ou joue-t-elle un rôle écrit à l'avance, dans lequel aucune improvisation n'est permise ?

Je me rappelle qu'elle a renoncé à une carrière brillante d'avocate pour servir son mari. Elle aurait pu gagner des millions de dollars, participer à des procès de haut vol. Et voilà qu'elle nous parle avec une chaleur millimétrée de son potager, que nous irons visiter ensuite. Les légumes de son jardin sont dans notre assiette, savamment cuisinés, en si petites portions que je sors du déjeuner en ayant encore un peu faim. J'ai faim de tout, d'ailleurs. J'aimerais tant avoir une vraie conversation avec elle. Sous son masque parfait, je donnerais cher pour savoir ce qu'elle pense de sa vie de *first lady*, avec ses contraintes bien plus importantes aux États-Unis qu'en France, mais jouissant d'un véritable statut.

Le lendemain, nous retrouvons Michelle Obama à Chicago. J'ai découvert le matin sur Internet que j'ai désormais droit au sobriquet de *first girlfriend* ; un journal américain a utilisé cette expression et toute la presse française s'en donne à cœur joie. Je grimace. J'ai l'impression d'avoir passé l'âge d'être une petite amie, après sept ans de vie commune, mais c'est le jeu médiatique.

Michelle Obama nous emmène chez elle, dans la banlieue où elle a grandi. Elle veut nous montrer un établissement qui prend en charge des enfants défavorisés et leur offre l'accès à toutes sortes d'activités que leurs parents ne pourraient pas leur offrir.

Après la visite, il est prévu qu'elle prononce un speech devant nous, les premières dames, et un parterre de jeunes. Je suis bluffée par cette femme qui tient un véritable discours politique :

– Vous ne deviendrez peut-être pas tous Président, mais vous pouvez devenir médecins, avocats… Barack et moi sommes devenus ce que nous sommes à force de travailler, alors donnez-vous les moyens !

La leçon me marque. Par la suite, au cours de plusieurs voyages officiels, lorsque je visite des orphelinats, en Afrique du Sud ou en Inde par exemple, dans les quartiers les plus pauvres, je reprends ses mots, en essayant d'insuffler la force qu'elle sait leur donner. Ne pas renoncer même si l'on n'est pas né au bon endroit, voilà qui me parle. La chance se mérite. Elle se partage ensuite.

Le soir, nous dînons avec une douzaine de femmes dont deux de ses meilleures amies, dans le musée de Chicago. Le décor est féerique. Michelle Obama a fait les choses en grand. La veille, François s'est envolé en fin de journée pour Camp David, où la présence des femmes n'est pas prévue. Je reste seule à l'hôtel, dans la suite gardée par un nombre impressionnant de membres de la sécurité américaine.

J'accepte de dîner avec une journaliste française vivant aux États-Unis, que je connais depuis des années. Elle me dit vouloir faire un livre sur l'histoire des premières dames.

Je lui précise que je veux bien dîner mais pas pour son livre. Nous évoquons nos vies, je lui parle de mes enfants et de quelques états d'âme. À la fin du dîner, elle m'avoue préparer un livre sur moi… Je m'alarme:
– Nous sommes d'accord, ce dîner était off?

Elle m'assure que oui. Elle n'a d'ailleurs rien noté, ni enregistré. Je ne m'inquiète pas. Deux mois plus tard, je découvre ce qu'est une trahison. Non seulement mes confidences sont utilisées mais en plus totalement déformées. J'intente aussitôt un procès contre son livre *La Frondeuse.* À l'audience, l'auteure laisse entendre que je lui aurais fait des aveux sur ma vie sentimentale passée. C'est un mensonge éhonté.

Cette série de livres de journalistes, que je n'ai souvent jamais rencontrés, qui dévoilent ma prétendue personnalité d'hystérique, est l'une des épreuves les plus cruelles de ma vie. Ils se succèdent dans les premiers mois du quinquennat. Le premier d'entre eux s'appelle *La Favorite,* il est signé par un ancien directeur adjoint du *Monde* et donne le ton: le titre à lui seul est une insulte. Il ne m'a jamais rencontrée, je ne connaissais même pas son nom. Il brode, déforme, invente, attaque. Un exercice de style d'une grande bassesse.

C'est une expérience étrange de voir sa vie réinventée et romancée. J'assiste à la naissance d'un personnage, qui a mon nom, mon visage, ma vie, mais qui n'est pas moi, un double de fiction.

Je suis seule. Vraiment seule. Pas une voix de femme, pas même une féministe pour me défendre. François me renvoie son indifférence, comme si le problème ne le concernait pas. Je suis affublée de ce surnom infâme et ça ne le dérange pas.

Une collègue de *Paris-Match* fait circuler comme un bon mot que je suis le « Rottweiler » de François Hollande, son molosse. L'expression fait florès. La médisance est une maladie malheureuse bien que souvent bénigne entre amis. Mais les conséquences sont décuplées quand on peut s'adonner, comme aujourd'hui, au petit jeu de la cruauté avec le monde entier sur les réseaux sociaux. Les sociétés connectées favorisent ce que les chercheurs américains appellent une « épidémie de dénigrement » et une « culture de l'humiliation ».

À l'époque, je n'ai pas encore appris à supporter les attaques, cela viendra ensuite. Elles sont dures et je me sens salie. C'est mon talon d'Achille. J'essaie de ne pas montrer à mes enfants à quel point je suis touchée – pas loin d'être coulée – par tous ces livres et ces sarcasmes, parce que eux aussi accusent le coup. Je dois tenir mais c'est violent. Avoir appris, jeune, à combattre l'adversité a déformé ma vision du monde. À force de voir des adversaires partout, je m'en suis fait beaucoup.

Je sais pourtant que ce mauvais sort ne m'est pas réservé en propre. Je me souviens des larmes de Carla Bruni-Sarkozy lors de la passation de pouvoir. Les premières dames étrangères me font aussi des confidences sur le traitement médiatique qu'elles ont toutes subi, à un moment ou à un autre.

Il y a des reproches récurrents dans les attaques, quels que soient le pays ou les personnalités des unes et des autres. Les femmes de chefs d'État sont presque toujours suspectées de se mêler des affaires de leur mari, d'avoir de l'ambition pour deux et de dépenser l'argent public de manière indue… Leur réputation est flétrie par la rumeur.

L'une d'entre elles me confie qu'elle souffre d'entendre tout ce qui se dit d'elle parce qu'elle a vingt ans de moins que son mari et qu'elle aurait « mis la main sur un Président ». Je me dis que voilà au moins une chose que l'on ne peut pas me reprocher. Il n'était même pas président de… conseil général.

Un soir, l'épouse du Premier ministre japonais Abe me fait beaucoup rire, en me racontant qu'elle a été vilipendée pour avoir soutenu l'un de ses amis aux élections sénatoriales. Cela me console un peu de mon tweet malheureux. Elle raconte avec un humour délicieux qu'à chaque fois qu'elle prend la parole, les médias se déchaînent. Il faut dire qu'elle n'hésite pas à se proclamer antinucléaire quand son mari prend des décisions inverses.

Je noue de vrais liens avec l'épouse de l'ancien président malien Traoré. Encore aujourd'hui, alors que je ne joue plus aucun rôle, Mintou Traoré continue de prendre régulièrement de mes nouvelles. Lors de mon premier voyage en solo, c'est elle qui m'accueille au Mali, en mai 2013. Au même moment, le président malien est en France avec François. Il y a quelque chose de symbolique. Les hommes occupent le terrain militaire et nous les femmes celui de l'humanitaire.

Nous nous rendons à Gao avec les membres de l'opération Serval en Transall. Je mesure alors la grandeur des militaires, un monde que je ne connaissais pas. Je suis touchée de les voir sur place, au service de la population traumatisée par les exactions des jihadistes.

Nous visitons une école dans laquelle il n'y a rien : ni tables ni chaises ni livres ni crayons. Nous avons apporté des ouvrages scolaires. À l'hôpital, si démuni, j'entre dans une pièce où se trouvent les jeunes accouchées. L'une d'entre elles vient de mettre au monde des jumeaux, une fille et un garçon. Ils n'ont que deux heures et pas encore de prénom. Mintou me les confie d'autorité dans les bras, en lançant :

– Lui, c'est François et elle, c'est Valérie !

Éclat de rire général. C'est l'une des photos-souvenir que je préfère. Si vraiment ces deux-là s'appellent aujourd'hui François et Valérie, je leur souhaite davantage de bonheur…

Nous déjeunons sous la tente du campement militaire, au milieu des soldats et de leur commandant, par 45 °C à l'ombre. Partout où j'arrive, je dois adresser quelques mots, parfois même un mini-discours. Je ne sais pas faire ça. J'improvise. À ma mesure, je commence à comprendre le plaisir que peut éprouver François à vivre des moments pareils.

Un avis de tempête s'annonce, la pluie commence à tomber en trombe. Tout le monde court partout. C'est la première pluie de la saison. Les journalistes s'amusent. Ils disent que j'ai hérité du pouvoir de François : faire pleuvoir partout où il va, comme au début du quinquennat ! Le vent se lève avec force et nous devons accélérer notre départ.

À Bamako, je visite l'hôpital et l'orphelinat. Ce que je vois là-bas s'inscrit à jamais en moi : des dizaines de nourrissons, tout juste nés et en détresse respiratoire ou grands prématurés. Leur chance de survie est compromise. À notre retour, une mission médicale sera envoyée pour tenter de comprendre pourquoi il existe autant de nouveau-nés en souffrance dans cet hôpital. Jamais non plus je n'oublierai la situation des enfants handicapés à la pouponnière. Tous assis par terre en file, quel que soit leur handicap, dans un couloir sordide.

Le Mali a stoppé toute possibilité d'adoption internationale. Je me suis fixé l'objectif de demander au gouvernement de revenir sur l'annulation de l'agrément de soixante-dix familles françaises. Car la nouvelle loi est rétroactive et ces familles ont vu leur espoir s'envoler après avoir fêté la bonne nouvelle d'un enfant à venir. Avant mon départ, j'ai reçu à plusieurs reprises le « collectif adoption Mali ». J'ai vu leur détresse, je leur ai promis mon aide, avec l'accord du Président. Mais sur place, je comprends qu'il faut laisser passer les élections maliennes. Je retourne plus tard à la charge avec l'épouse du nouveau Président. Les choses avancent. Lentement, mais elles avancent. Les familles me donnent encore aujourd'hui des nouvelles. J'espère pour elles…

Juste avant notre départ du Mali, une conférence de presse est organisée. Une question sur l'engagement de la France au Mali est posée à Mme Traoré. Sa réponse est directe : « Un homme, quand il se couche, il n'a pas pris de décision. Il la prend avec celle qui est à côté de lui. Et celle avec qui François Hollande couche, c'est Valérie. » Nous explosons de rire.

Le Mali est une terre émotionnelle. J'ai compris la fierté de François lorsqu'il y est allé en tant que chef des Armées après l'intervention française. Mais il m'a choqué lorsqu'il a affirmé qu'il « s'agissait du plus beau jour de sa vie politique ». Moins d'une minute plus tard, je lui en faisais le reproche par message : « Si le plus beau jour de ta vie politique n'est pas le jour où les Français t'ont élu président de la République, alors ils ont eu tort. » Je ne le ménageais pas, c'est vrai. Mais qui osait encore lui parler franchement parmi cette horde de courtisans, de « complimenteurs » ? Personne, je le crains. Il ne supportait plus la critique. Il valait mieux se taire pour ne pas se prendre une volée de bois vert.

L'été 2014 approche et des rumeurs circulent sur l'officialisation du couple Hollande/Gayet, annoncée pour l'été. Ils se verraient toujours. Par texto, François prend les devants et m'affirme pour la énième fois que c'est faux, que c'est fini, qu'il veut me retrouver moi, que cette fille, ce n'est rien. Il entonne la chanson éternelle des infidèles.

Tous les jours, François demande à me voir. Il ne relâche pas la pression. Je ne lui réponds plus. Ne pas savoir où est la vérité et où est le mensonge m'empêche de reconstruire ce petit noyau de confiance, je le sais désormais, sans lequel toute relation avec autrui est une impasse.

Pour la troisième fois, François me promet de démentir publiquement sa liaison avec l'actrice. Pour la troisième fois, il ne le fait pas. Maintient-il deux fers au feu pour ne pas finir seul ? Garde-t-il le contact avec moi parce qu'il craint ma liberté ? Il finira par démentir la rumeur de mariage le 12 août, jour de ses soixante ans. Il me propose d'être avec lui ce jour-là. Et ajoute : « C'est à toi de me dire oui. »

Je dois tourner la page. Chaque jour je tiens bon en me citant cette magnifique phrase de Tahar Ben Jelloun que je connais par cœur : « Le silence de l'être aimé est un crime tranquille. » Lequel de nous deux souffre le plus ? Je l'ignore. Il tente d'avoir de mes nouvelles par des amis ou mon fils qu'il voit toujours. Il veut savoir ce que je fais, qui je vois, ce que je pense. Interroge tout le monde pour savoir pourquoi je ne veux plus le voir.

La première fois que nous nous sommes revus, après le communiqué de rupture, il m'a dit :
– Je ne te parle pas de ton livre, car je ne veux pas que tu croies que je reviens par peur de ça.
Je ne veux rien savoir de sa vie, ne rien connaître de ce qu'il se passe à l'Élysée. Ma télévision reste éteinte et je ne lis toujours pas les journaux. Chaque kiosque que je croise me paraît un lieu radioactif, où je n'ai que des coups à prendre.

Je m'enferme dans un monde réduit, une bulle fragile. J'essaie de lutter, sans cette énergie du désespoir des premières semaines. On appelle cela le contrecoup, paraît-il. Comme si le coup ne faisait pas suffisamment mal. Il en faut un autre. Un aller et un retour. Deux gifles. L'une dans un sens, l'autre en contresens. À peine le temps de se relever, il faut supporter un deuxième assaut.

François m'a fait tant de mal. Et pourtant il me manque parfois, c'est vrai. Le passé me manque, notre amour, notre passion insouciante me manque, les heures où tout semblait facile, où les couleurs étaient plus fortes, l'air plus léger. Mais le passé ne revient jamais. Ou alors en bouffées violentes qui m'anéantissent : le passé ne veut pas mourir, surtout celui d'avant l'Élysée, lorsque François était un autre. Ou plutôt, lorsqu'il était lui.

Ses messages me parlent d'amour. Il m'écrit que je suis toute sa vie, qu'il ne peut rien sans moi. Est-il sincère ? Croit-il ce qu'il écrit ? Ou suis-je le dernier caprice d'un homme qui ne supporte pas de perdre ? Il m'écrit qu'il me regagnera, comme si j'étais une élection. Je le connais si bien maintenant : s'il parvient à me reconquérir, à rééditer l'impossible, il se dit peut-être qu'il pourra également regagner le cœur des Français, alors qu'il est le Président le plus impopulaire de la Ve République.

En moi, la confiance est morte. Pour les Français, c'est bien sûr une tout autre affaire. Je peux juste témoigner que le pouvoir change. Je ne reconnais pas le François que j'ai aimé passionnément dans l'homme qui traite désormais ses collaborateurs avec mépris, après m'avoir réservé le même traitement. Je l'ai vu se déshumaniser, jour après jour, sous le poids des responsabilités, et être gagné par l'ivresse des puissants, incapable d'empathie. Se prendre pour un seigneur. Comme lors de ce dîner avec sa garde rapprochée de la promotion Voltaire, cela m'avait frappée : trente ans qu'ils attendaient le pouvoir. Ils l'avaient enfin et se considéraient comme des demi-dieux, pleins d'arrogance.

Un autre jour, au cours d'une promenade, il me dit, alors que nous parlions de Fabius :

– C'est terrible pour lui, il a raté sa vie.

– Pourquoi dis-tu ça ?

– Parce qu'il n'est jamais devenu président.

– Mais ça ne veut pas dire qu'il a raté sa vie. Il a l'air heureux dans ce qu'il fait et avec sa compagne. Et toi, es-tu heureux ?

– Non.

Mes journées s'écoulent lentement, rythmées par les SMS du Président, que je ne peux m'empêcher de lire. Un, trois, cinq. Et je finis par craquer. Je réponds à son dernier message. Il réagit aussitôt. La farandole repart et s'enroule sur elle-même. Je suis épuisée de ces échanges qui ne mènent à rien. Ses mots n'ont plus de valeur pour moi. J'y mets à nouveau fin. Jusqu'à quand ? Je veux m'éloigner de François que je ne comprends plus et de l'Élysée devant lequel je ne passe jamais, quitte à faire un détour en voiture.

Je suis prête à partir n'importe où pour échapper à ce nœud de chagrin. *Match* me demande si j'accepterais de partir en reportage au Nigeria sur la trace des lycéennes enlevées par Boko Haram. Chaque jour, je tente de mobiliser l'opinion en leur faveur, avec mes moyens, le plus souvent *via* mon compte Twitter ou par des opérations médiatiques. J'accepte donc la proposition de mon journal de partir dans l'heure, la minute s'il le faut. Mais le projet bute sur l'obstacle des visas. Le Nigeria fait barrage.

Alors que je reviens de la République démocratique du Congo, où je soutiens les enfants des rues et les femmes violées aux côtés du docteur Mukwege, l'idée de repartir me donne plein d'énergie. Comme lors de mon voyage à Haïti avec le Secours populaire, la rencontre des plus démunis me renvoie à l'essentiel.

Il arrive que l'action humanitaire soit critiquée, avec la médiatisation qui l'accompagne. Qui a raison, qui a tort ? Il y a quelques années, pour *Paris-Match,* j'ai accompagné la cantatrice Barbara Hendricks en Éthiopie dans un camp de réfugiés. Depuis des années, cette femme charismatique, pétrie de talents, a mis sa notoriété au service de causes humanitaires. Elle est née dans l'Amérique de la ségrégation et en garde la marque au fer rouge. De cette humiliation, elle fait une force. J'ai été frappée par sa puissance de conviction, qui soulève des montagnes. Comme elle, je ne supporte pas l'idée qu'un enfant naisse sans aucune chance de s'en sortir. Elle est ensuite venue me voir à l'Élysée pour parler du nombre croissant de refugiés dans le monde.

Mon expérience de première dame a renforcé ma certitude que ces voyages sont utiles. Ils cristallisent des énergies et offrent aux équipes sur place un coup de projecteur précieux.

Je reçois les dirigeants d'Action contre la faim. Nous évoquons un projet de visite avant la fin de l'année dans un pays en guerre. Comme pour le Nigeria, les zones dangereuses ne me font pas peur. Sans doute suis-je un peu inconsciente. Ma vie a perdu de son sens. Que serais-je devenue sans mes enfants ? Pour retrouver mon chemin, je peux prendre quelques risques.

Nous reparlons de mon déplacement en Inde au lendemain du communiqué de rupture dicté par François Hollande à l'AFP, voyage au cours duquel la représentante d'ACF m'avait accompagnée. Elle m'en parle avec chaleur.

– Vous avez résisté à la pression médiatique et vous avez beaucoup donné. J'ai vu peu de gens comme vous sur le terrain.

J'y étais avec mon amie Charlotte Valandrey, l'actrice atteinte du VIH et au cœur greffé. Elle sait ce que signifie le mot survivre, elle l'a raconté dans plusieurs beaux livres. Elle m'explique comment reprendre le dessus, le contrôle de moi-même.

Ses mots me font du bien. J'avais été jetée à la face du monde comme un rien. En maintenant mon voyage en Inde, je voulais montrer au petit cercle qui se réjouissait de mon éviction que je restais digne. Que je ne valais pas son mépris. Je voulais montrer à François que je m'en sortirais sans lui.

Les autres m'ont donné leur force. Les enfants du bidonville m'ont transmis leur joie. Il y a quinze jours, un magazine a publié une photo de ce voyage. Je suis assise par terre, en tailleur. Une petite fille installée sur mes genoux. J'ai une main sur sa jambe et elle une sur la mienne. Paris est loin, je suis heureuse d'être là.

En Afrique du Sud, lorsque j'étais première dame, les enfants de l'orphelinat m'ont emmenée danser avec eux. Je l'ai fait bien volontiers. Il ne faut jamais me forcer longtemps pour m'entraîner sur des rythmes endiablés.

Même chose au Burundi quand, invitée par Mary Robinson pour une conférence, les musiciens m'incitent à les accompagner au son de leurs percussions. J'ai été heureuse à chaque fois que je m'échappais du « programme Madame » lors des voyages officiels. Quand on me proposait un musée ou une visite touristique, je déclinais. Je voulais quitter les sentiers battus.

Du Burundi, et d'un voyage effectué seule comme première dame en juillet 2013, je garde en mémoire le visage d'Olivier. Je le rencontre lors de la visite d'un foyer pour enfants des rues – des garçons exclusivement – accueillis pendant six mois, le temps de les resocialiser. Ils sont réunis en cercle. Trois d'entre eux prennent la parole, dont Olivier. Certains êtres dégagent quelque chose qui frappe et retient l'attention. Il fait partie de cette catégorie.

– Je ne veux pas retourner à la rue, je veux faire des études, je veux devenir médecin. Qu'est-ce que je vais devenir si je retourne à la rue ?

En partant, je demande à la femme de l'ambassadeur une faveur. J'aimerais qu'elle ne perde pas la trace d'Olivier, le temps que je trouve une solution pour lui. Deux jours après mon retour à Paris, un couple de médecins, sans enfant, accepte de prendre en charge ses études ainsi que sa pension au sein d'une famille sur place. Olivier ne sera pas déraciné et pourra accomplir son rêve.

Depuis un an, il fait des progrès fulgurants à l'école. Le couple de médecins lui parle toutes les semaines sur Skype. Si tout va bien, croisons les doigts, il viendra dans huit ans faire ses études de médecine en France.

Combien d'enfants n'auront pas sa chance ? En vingt mois seulement à l'Élysée, j'ai vu tellement de foyers d'enfants ou d'hôpitaux remplis de malades. Il y a de quoi être envahie par un sentiment d'impuissance. Jusqu'au moment où l'on comprend qu'une goutte d'eau s'ajoute à une autre.

Et que petit à petit, on peut faire davantage. Et que si cette goutte d'eau n'existe pas, elle manque.

Il y a Olivier, mais il y a aussi Solenne, que je rencontre par l'association ELA, dont le parrain est Zidane. Le président de cette association, Guy Alba, est le premier à me solliciter, juste après le tweet de La Rochelle, au moment où j'ai le sentiment d'avoir attrapé le choléra et d'être si contagieuse que personne ne veut m'approcher. Il m'explique ce qu'est la leucodystrophie, une maladie génétique qui entraîne chez l'enfant une terrible et inexorable dégénérescence de son système nerveux.

J'accepte de venir faire une dictée dans une école, pour aider à faire connaître cette maladie rare et encourager les dons. Dans la classe de 3e d'un collège du XIIIe arrondissement de Paris, je prononce le texte de la dictée, devant un mur de caméras et de photographes. Solenne est là dans son fauteuil roulant, accompagnée de ses parents. C'est une belle petite fille blonde, pleine d'humour. Les élèves de 3e installés au premier rang pleurent. Je me retiens car, pour avoir rencontré de nombreux parents d'enfants handicapés, je sais que ce n'est pas ce qu'ils attendent : pas de compassion mais un soutien.

Solenne m'écrit ensuite pour me dire que ce moment a changé sa vie. Les quelques lignes de cette lettre lui ont pris deux heures tant ses facultés motrices sont réduites, mais elle a été pour la première fois au centre de l'attention. Je garde sa lettre et lui réponds. Je l'invite au Noël de l'Élysée bien que les invitations soient limitées aux enfants de moins de douze ans.

Ce jour-là, je veux faire un geste pour Solenne et d'autres jeunes filles orphelines, trouver un cadeau qui ne se réduise pas à une figure imposée. Je veux marquer le coup. Comme je sais Solenne coquette, je demande à la directrice de cabinet du Président, Sylvie Hubac, la permission d'acheter six sacs de la créatrice Vanessa Bruno, dont les adolescentes des beaux quartiers raffolent.

– Mais c'est cher, prends plutôt des imitations, me répond-elle.

Comme quoi on peut avoir fait l'ENA et manquer de bon sens.

– Sylvie, c'est impossible. Nous sommes à l'Élysée, nous ne pouvons pas offrir de la contrefaçon !

Elle a peut-être raison pour le coût, même si la recherche de la normalité et la réduction des dépenses de l'Élysée conduit parfois à de drôles de propositions. Ainsi, parce que c'est gratuit, un spectacle avec Astérix et Obélix est envisagé. Mais le producteur met une condition : que le Président vienne accueillir les comédiens déguisés en Astérix et Obélix sur le perron de l'Élysée, en déroulant le tapis rouge, comme s'ils étaient des chefs d'État. Je l'arrête à temps, je crains le ridicule de l'image pour François. Mais après tout, ce n'était pas plus ridicule qu'un Président qui se cache sous un casque intégral.

Nous trouvons la solution. Les petites filles reçoivent quand même leur sac Vanessa Bruno, non contrefait, car la créatrice les offre avec générosité quand elle apprend les destinataires de ces cadeaux. Avec la complicité de sa maman, je fais aussi la surprise à Solenne d'aller la chercher à la sortie de son école spécialisée pour lui offrir un goûter à l'Élysée. Mes officiers de sécurité acceptent de bonne grâce de porter Solenne.

Depuis deux ans, nous restons en relation. J'ai revu Solenne il y a dix jours, elle était folle de joie à l'idée d'accueillir son handi-chien après deux ans d'attente. Elle est allée à Alençon, avec son père, pour apprivoiser son nouvel ami, celui qui va l'aider dans sa vie de tous les jours. C'est un compagnon à 15 000 euros, car le dressage du chien et l'apprentissage mutuel coûtent cher. Tout cela grâce aux dons.

Comme première dame, je réalise au fil des mois que j'ai un rôle à jouer dans l'appel à la générosité pour la prise en charge du handicap. Le matériel est sophistiqué et ne peut pas être pris à 100 % en charge par la Sécurité sociale.

Je me souviens du fauteuil roulant électrique de Théo, amputé des deux bras et des deux jambes à l'âge de six ans après une méningite rarissime. Ou celui de son idole, Philippe Croizon, privé également de ses quatre membres après une électrocution. Je vois cet homme à la télévision et je l'entends à la radio. Ce héros m'épate par sa force : il a traversé la Manche à la nage et s'apprête à relier les cinq continents. Nicolas Sarkozy, quand il était Président, l'a décoré, il a besoin de notoriété pour trouver les sponsors qui l'accompagneront dans son rêve.

Je tanne François pour qu'il le reçoive. Il ne m'écoute pas. Alors je propose à Philippe Croizon de venir me voir à l'Élysée, en insistant auprès de François pour qu'il passe à la fin du rendez-vous.

Au bout d'une heure de discussion avec Philippe, sa compagne et son agent, François nous rejoint, affable et souriant, comme il sait le faire. Le soir, lors du dîner, je lui demande :

– Comment as-tu trouvé Croizon ?

– Je n'aime pas les handicapés qui font commerce de leur handicap.

Je reste bouche bée. Par quelle métamorphose cet homme que j'ai connu sensible, capable de mots apaisants et tendres, a-t-il pu devenir un bloc de métal, insensible et tranchant, ce cynique qui cherche la phrase qui fait mal ? Il sait le calvaire vécu par mon père, celui de Croizon est bien pire. Je lui rappelle le montant de l'allocation adulte handicapé : 790 euros par mois. À l'époque, c'était encore moins et nous vivions à huit sur ce maigre pécule, avant que ma mère ne trouve son emploi de caissière. Il ne répond pas. Son cerveau traite déjà mentalement un autre dossier.

Je garde un lien avec Philippe Croizon qui, lui, sait donner de sa force aux autres. Il prend toujours de mes nouvelles, se soucie de moi. Ensemble, nous allons à Vichy soutenir Théo dans son entraînement de natation. Comme son modèle, Théo veut devenir un champion et il a choisi la voie paralympique. Il faut avoir rencontré ce jeune garçon de douze ans pour comprendre ce qu'est un être hors norme, il a une détermination qui dépasse l'imagination. Il est aujourd'hui trois fois vice-champion de France.

Oui, de beaux moments, j'en aurai vécu à l'Élysée. Oui, des personnes magnifiques, j'en aurai rencontré comme première dame. Mais rien ni personne en relation avec la politique. J'ai remercié publiquement le personnel de l'Élysée quand j'ai été congédiée. Des cuisiniers aux fleuristes, en passant par les médecins et les maîtres d'hôtel, et bien d'autres, ils m'ont permis de traverser bien des moments difficiles. J'ai une pensée particulière pour Joseph, l'un des maîtres d'hôtel qui égayait mes journées. Et évidemment pour toute mon ancienne équipe, si proche de moi, et moi d'elle.

Le fort de Brégançon s'ouvre cet été au public. Le Président n'ira pas y passer ses vacances d'après notre rupture. Tous les médias en parlent et retracent l'histoire des vacances présidentielles. Et voilà que ressurgit la fable des coussins que j'aurais commandés, il y a deux ans, à notre arrivée à l'Élysée.

Cet été-là, François m'envoie en repérage avec Stéphane Ruet, ancien photographe recruté par l'Élysée, pour que je lui décrive l'endroit et savoir s'il existe une solution contre les paparazzi. Je visite le port, le temps d'une demi-journée. À part l'installation de deux paravents sur la plage, je ne demande aucun aménagement, aucun changement. Dans les jours qui suivent, une rumeur circule sur Internet et dans les journaux : j'aurais commandé des coussins et du mobilier d'extérieur de luxe pour une facture de plusieurs dizaines de milliers d'euros !

Nos premières vacances commencent avec cette polémique. Le fantasme est irrésistible : une parvenue déguisée en Marie-Antoinette qui dépense l'argent public au gré de ses caprices, c'est trop beau pour être faux. À maintes reprises, je demande que l'Élysée démente cette fable insensée qui me vise mais touche aussi le Président. Rien à faire.

François refuse de contrarier la presse même quand elle transforme des ragots en pseudo-scoops. Il voit les informations comme un fleuve qui charrie tout, le vrai et le faux, et qu'il ne sert à rien de vouloir endiguer. Il préfère sentir les courants et jouer avec eux.

À l'Élysée, on me demande de prendre cette histoire à la légère. Deux ans plus tard, je constate que le poison sourd encore puisque la presse rapporte que l'Élysée aurait effacé les traces de ce caprice après mon départ. Il faut bien trouver une explication au fait que les visiteurs du fort ne trouveront rien, ni coussins hors de prix, ni mobilier de jardin en bois précieux.

Ce mois d'août 2012 commence décidément mal, puisque je dois subir la comédie de notre départ en train. Les vacances d'un « Président normal » sont dramatiquement mises en scène par la communication de l'Élysée devant des dizaines de caméras et de photographes massés sur les quais de la gare de Lyon, devant notre TGV. Je trouve ça ridicule, je déteste cette exhibition. Je n'ai été prévenue qu'à la dernière minute. Sur les photos, j'ai d'ailleurs la tête des mauvais jours, les sourcils froncés et les traits figés.

Nos aspirations divergent : François est en manque de bains de foule depuis son élection, alors que j'attends, enfin, un peu d'intimité après deux ans de campagne politique. Le fort de Brégançon permet d'être abrité lorsque l'on se tient à l'intérieur : le jardin et la vue sont magnifiques. D'un coup, tout se calme et c'est délicieux. Même si les pièces sont sombres, nous passons de très bons moments tous les deux.

J'ai apporté une vingtaine de livres en prévision de ma chronique pour la rentrée littéraire. Chaque jour, François reçoit des coups de fil de chefs d'État et des dossiers que lui apporte l'aide de camp. Il travaille pendant des heures pendant que je lis. Nous sommes heureux ensuite de nous retrouver.

Malheureusement, nous ne pouvons pas faire un pas dehors sans être poursuivis par une horde de journalistes. Plusieurs fois, je leur demande de nous laisser. François passe derrière en disant :

– Mais non, faites.

Il est toujours dans le halo de la campagne, quand chacun de ses déplacements, dans une cour de ferme embourbée, un atelier d'usine traversé au pas de course ou dans les allées d'un marché, était suivi par une meute de caméras, de photographes et de journalistes qui recueillaient avec fébrilité la moindre bribe de phrase du candidat. Mais il est désormais le Président et donne l'image d'un homme qui passe son temps à la plage ou à se promener en polo, suivi par une femme renfrognée. La réalité, pourtant est inverse : il n'a cessé de travailler et nous avons enfin retrouvé des moments d'intimité apaisée. Illusion des images...

En quittant le fort par l'arrière en bateau, nous réussissons à voler quelques moments et à échapper aux paparazzi, pour visiter Porquerolles à vélo ou marcher sur les sentiers de Port-Cros, ces îles magiques. Tous les Présidents avant François Hollande ont eu droit au repos. On se souvient des images des Pompidou bronzés sur leurs transats, de François Mitterrand en costume clair et canotier à Latche.

Il aurait suffi d'organiser une photo de François à sa table de travail, dans le fameux bureau du général de Gaulle pour faire taire les mauvaises langues. En fin de séjour, François veut d'ailleurs organiser une réunion sur le budget avec Jean-Marc Ayrault, Pierre Moscovici et Jérôme Cahuzac. Le Premier ministre ne veut pas quitter sa Bretagne et François n'insiste pas... Cette réunion aurait peut-être changé l'humeur chagrine de la presse et atténué le mauvais pressentiment de l'opinion sur son début de quinquennat. Mais la politique serait si simple s'il ne s'agissait que d'images.

La gifle est brutale : dès septembre 2012, François décroche dans les sondages. Il y voit une relation de cause à effet. Passant d'un extrême à l'autre, il décide de ne plus prendre de vacances, ni de week-end. Il est depuis des années sous perfusion médiatique et se laisse influencer par ce qui est écrit, dit, commenté.

C'est par les journaux que j'apprendrai l'année suivante que nous ne retournerons pas à Brégançon, par eux encore qu'il se plaindrait d'y avoir passé des vacances cauchemardesques. C'est toujours par la presse que je découvre que nous ne passerons que quelques jours à la Lanterne au cours de l'été 2013, en guise de congés.

L'année dernière, j'ai décidé d'emmener mes enfants une semaine en Grèce, dans un hôtel que je réserve *via* un site de vacances soldées. Je suis sans doute la première des premières dames à avoir acheté des vacances à bas prix, alors que tous les dirigeants de la planète proposent de prêter au Président français de somptueuses propriétés.

C'est après notre rupture, une fois hors de l'Élysée et sans comptes à rendre, que je prends mes premières libertés avec cette rigueur-là. J'accepte une parenthèse au soleil de l'île Maurice avec mes amies Valérie et Saïda. Nous partons, hors saison, dans un bel hôtel pendant huit jours. J'ai besoin de m'extraire de Paris, de me sentir protégée. J'ai besoin d'un ailleurs. Je leur rends grâce : elles me font un bien fou à ce moment-là. Je sais ce que je leur dois, à elles et à quelques-unes que je ne cite pas dans ce livre, parce qu'elles sont plus tranquilles dans l'ombre. Je connais la force de l'amitié féminine et elle m'a sauvée.

Les malentendus entre nous s'accumulent au retour de Brégançon. Dès l'automne 2012, je commence à m'interroger sur l'éloignement progressif de l'homme que j'aime tant. Je m'en ouvre à un ami, qui me répond :

– J'ai l'impression que son amour est lié à sa cote de popularité.

La phrase est brutale, mais elle comporte une part de vérité. Les primaires puis la campagne présidentielle ont été le sommet de son existence. Dans les derniers jours avant le second tour, je me rappelle que François marchait comme en lévitation, porté par la foule, habité par l'énergie collective. Une fois élu, il tient à sa popularité comme à la prunelle de ses yeux : elle lui rappelle la drogue dure des meetings et cet élan qu'il incarnait.

À chaque nouveau sondage, je le vois se décomposer. Et presque aussitôt se durcir dans ses rapports avec moi. Il a besoin d'un coupable qui explique son décrochage. Cela ne peut pas être lui, donc les autres et moi. Officiellement, il prétend que cela ne le touche pas, c'est évidemment faux. Je deviens le paratonnerre de tout ce qui lui arrive. Le chômage s'envole et j'en subis les conséquences. À chaque couac de ministre, à chaque usine qui ferme, je ressens une réplique : il se montre plus distant et plus cassant. Avec tout le monde. Plus rien ne va. Pas même les menus qu'il choisit lui-même, ni le pain pas suffisamment frais à son goût. Tout est de ma faute.

Pendant des mois, sa cote chute inexorablement dans les sondages d'opinion. Les premiers mois de son quinquennat sont une succession de trous d'air. Depuis toujours, il me félicite pour mon sens politique. Alors chaque soir, lorsque je le retrouve, j'essaie de lui expliquer ce qui ne va pas à mes yeux en matière de communication ou de politique. Mais il ne veut pas entendre parler de ces ratés. Il se ferme, s'énerve. Le décrochage est rapide et sans doute sévère. L'image d'amateurisme fait de gros dégâts, l'accumulation de « couacs » également. À ses yeux, Jean-Marc Ayrault commence à réunir tous les défauts de la terre. Sauf celui de la loyauté. Mais y a-t-il encore quelqu'un qui trouve grâce à ses yeux ? Je n'entends que des critiques sur les uns et les autres.

Lorsqu'il évoque – déjà – Manuel Valls pour remplacer Ayrault, je lui dis :
– Tu sais bien que si tu prends Valls, tu lui donnes la voiture et la clé. Et il va se tirer avec. Si en 2017, tu es en état de faiblesse, il exigera des primaires pour se présenter.

– Si je suis en état de faiblesse, je n'irai pas.
– Mais si, tu vas te refaire et tu es excellent en campagne !
Je continue alors à croire en lui.

Certains soirs, je prends de bonnes résolutions. Je me promets de ne pas lui parler des problèmes de la journée. Je cherche des sujets positifs et je n'en trouve pas, alors je me tais et j'évoque des sujets de la vie de tous les jours. Peine perdue, il prend le relais et attaque certains de ses conseillers, ou de ses ministres. Il perd sa clairvoyance et sa lucidité, qui ont toujours été sa force jusque-là. Il ne voit pas ce qu'il se passe. Il cloisonne tout, entre tout le monde. Il érige des murs qui finissent par s'abattre sur lui.

J'ai le tort à ce moment-là de ne pas sentir qu'il a besoin d'autre chose. Que son désarroi appelle du réconfort, de la douceur. Il lui est plus agréable – et sans doute plus facile – de trouver refuge dans les bras d'une actrice qui le trouve « magique » et le dévore des yeux comme une jeune amoureuse.

Passer de la féerie de la campagne électorale à l'aridité du pouvoir est un choc. Un samedi soir, quelques semaines après l'élection, nous regardons ensemble à la Lanterne des images du concert de Johnny Hallyday au Stade de France. Je remarque son regard, comme hypnotisé. Je devine ses pensées.
– Ça te manque, non ?

Il acquiesce, avec un sourire. Lui et moi savons ce dont il s'agit. J'ai suivi tant de campagnes électorales et je l'ai accompagné à tant de meetings : les bains de foule, la chaleur des acclamations, les salles parcourues de murmures et de rires, sa voix qui cajole et emporte, la gestuelle des candidats… Je suis l'une des rares journalistes, et parfois la seule, à l'avoir suivi à ses débuts. Jamais je ne me lassais de ses discours. Lorsque notre complicité s'est transmuée en amour, il m'adressait en public des messages que moi seule pouvais comprendre.

À l'Élysée, François ne fait pas la différence entre ceux qui sont à ses côtés pour lui et pour servir l'État et ceux qui ne l'ont rejoint que pour leur propre carrière et pour se servir de son influence. Je me méfie notamment d'Aquilino Morelle. Le conseiller spécial est très spécial. Entre nous, le courant ne passe plus. Encore directeur de campagne d'Arnaud Montebourg lors des primaires, il vient se vendre à François rue Cauchy… Je n'aime pas la duplicité.

Lorsque François est désigné, il devient l'homme de ses discours, ou plutôt des brouillons de discours. À plusieurs reprises, François le démolit devant moi lorsqu'il vient à notre domicile pendant la campagne. Aquilino Morelle en est humilié et reporte sur moi son ressentiment.

Une fois à l'Élysée, il s'empare du plus beau bureau, de la plus belle voiture et affiche sa posture de petit marquis.

On me rapporte plusieurs témoignages sur ses méthodes et son comportement, notamment à mon encontre. J'en parle à François, qui balaie ces confidences d'un revers de main.
– Tu as des preuves ?
– Non, des témoignages.
Ça ne lui suffit pas.

En janvier, Aquilino Morelle s'est réjoui de mon départ. Il a même participé à la rédaction du communiqué de répudiation en dix-huit mots, bien dans son style de froid mépris. En mai, je me suis réjouie à mon tour de sa démission forcée. Il s'est pris, tout seul, les pieds dans les lacets de ses souliers faits sur mesure. Plus personne ne viendra les lui cirer. Sa vanité l'a emporté.

Quand sort l'affaire Morelle, je ne suis plus à l'Élysée. Bien que nous soyons séparés, j'alerte François sur ses conséquences. Il ne voit pas la gravité de l'affaire.
– Tu peux continuer à t'aveugler sur Morelle, comme tu l'as fait pour Cahuzac, ce seront les mêmes conséquences.
Il me répond qu'il ne s'agit que d'anecdotes.
– Si, pour toi, faire venir un cireur de pompes à l'Élysée est une anecdote, c'est que tu as bien changé. Et je ne parle pas de l'argent des labos.

Je ne suis sans doute pas la seule à le mettre en garde, car il finit par comprendre et Aquilino Morelle quitte l'Élysée dans la journée.

Pour l'affaire Cahuzac, le Président n'a rien vu venir. C'est pourtant l'un des rares sujets pour lequel je suis montée plusieurs fois au créneau, juste après les premiers articles. En vain, il ne veut rien entendre. Il m'oppose toujours la même question :
– Tu as des preuves ?

Non, évidemment non, je n'ai pas de preuves. Mais j'ai des yeux et de la mémoire. Ma première alerte remonte à quelques années plus tôt. J'anime alors une émission politique sur Direct8 et j'assiste stupéfaite à un numéro de Jérôme Cahuzac face à Marine Le Pen. Mon équipe et moi en sommes choqués : député socialiste, il se comporte devant elle comme un adolescent devant une star de Hollywood, avec une déférence totale. Quelque chose ne colle pas. Et quand Médiapart révèle que son compte en Suisse avait été ouvert par un ami de sa famille, un avocat d'extrême droite proche de Marine Le Pen, les pièces du puzzle s'emboîtent.

Je lis les articles, j'écoute sa défense, il y a quelque chose de dissonant. Un dimanche de décembre, alors que nous déjeunons chez le couple Valls, la conversation se porte sur le ministre du Budget et son compte en Suisse.
– C'est terrible pour lui, il ne dort plus, remarque Manuel Valls.
Je lui réponds :
– S'il ne dort pas, c'est qu'il n'a pas la conscience tranquille.

– Ça n'a rien à voir, là on touche à sa dignité.

Manuel Valls aurait pu choisir un autre mot que « dignité ». Le débat sur le mariage pour tous alimente alors la « fachosphère ». Sur Internet, l'extrême droite est remontée à bloc, je me fais insulter à longueur de temps. Donc la dignité de Cahuzac ne m'émeut pas autant que les autres convives.

– Et moi ? Quand je me fais traiter de première pute de France, on ne touche pas à ma dignité ?

D'une même voix, François et son ministre de l'Intérieur se récrient :

– Ça n'a rien à voir.

Non, rien à voir, lui est un homme politique drapé dans son honneur et moi une femme sans statut, une poupée vaudou que l'on peut insulter et traîner dans la boue. Je ne relève pas. Je suis convaincue que Jérôme Cahuzac va tomber. Je persiste :

– Je suis sûre qu'il ment.

Chacun reste sur ses positions. Les deux hommes le couvrent parce qu'il est l'un des leurs, un politique et un ami. Manuel Valls finira par lâcher à son propos :

– On tient, on tient, jusqu'au moment où on ne tient plus.

Deux semaines plus tard, alors que nous sommes tranquilles rue Cauchy, Jérôme Cahuzac demande à voir François en urgence. Il débarque dans l'heure, je lui ouvre

la porte de l'appartement. Il est nerveux et sans voix. Je lui propose un thé au miel et au citron, qu'il accepte. Je le lui sers et me retire dans notre chambre pour les laisser en tête à tête. Au moment de son départ, je reviens le saluer. Je referme la porte et questionne François :
– Que voulait-il ?
– Rien de spécial.
– C'est impossible, il ne vient pas déranger le Président un dimanche, juste pour prendre le thé.
– Il s'attend à ce que d'autres éléments tombent.

Je n'en apprends pas davantage. Mais François perd l'occasion de sceller son sort à ce moment-là, de devancer l'événement. Lorsque, deux mois et demi plus tard, le 19 mars 2013, le parquet de Paris annonce l'ouverture d'une instruction judiciaire contre X pour blanchiment de fraude fiscale, Jérôme Cahuzac démissionne.

Le choc est violent pour François. Est-il vraiment resté incrédule jusqu'au bout ? Pourquoi n'a-t-il pas tranché dans le vif dès la visite de Jérôme Cahuzac ? Il n'aime pas les affaires de police, les dossiers et les rumeurs. Peut-être n'avait-il pas envie d'y croire. Lorsque je le retrouve, j'ai droit à sa phrase rituelle :
– Tu avais raison, mais comment avais-tu vu qu'il mentait ?

Je ne comprends pas son aveuglement ou sa naïveté. Pourtant je me suis laissé abuser à mon tour par les mensonges de François, « les yeux dans les yeux ». Son regard planté dans le mien. Chacun voit ce qu'il veut bien voir.

L'affaire Cahuzac est dévastatrice. François se ferme comme une huître. Personne ne parvient à le sortir de cet état de sidération. Ses plus proches conseillers m'appellent à l'aide. Ils ne savent plus comment l'aider à rebondir. L'un de ses collaborateurs m'avoue ne plus en pouvoir de ce président qui travaille en « copie cachée ». Avec moi, c'est la même chose, il s'enferme de plus en plus dans le mutisme et l'opacité. J'ai le sentiment d'être un meuble. Et encore. Sa cote décroche à nouveau brutalement. Il envisage un grand remaniement et le départ de Jean-Marc Ayrault. Tout le gouvernement est recomposé dans son esprit, avant qu'il change d'avis, encore une fois. La décision durable n'existe pas chez lui.

Il lui faut du temps pour sortir de cette période noire. L'Élysée est devenu un enfer. Les premières semaines après l'élection, j'avais eu envie de participer à tous les événements. C'est un rêve de journaliste : traverser le miroir. L'excitation m'a passé. Je ne mets quasiment plus les pieds aux remises de décorations. Je prends plus de temps pour ce qui me tient à cœur : l'humanitaire, les enfants et le social. Le jeu des conseillers, les luttes d'influence, les médisances, je sais désormais comment ça marche. Ça me suffit. Et

François n'a pas envie que je trouble ce jeu-là, ni que je l'accompagne en public.

Pour être honnête, il connaît parfois un regain de tendresse, parce qu'il me trouve belle, ce jour ou cette heure-là. Il me regarde à nouveau avec ses yeux étincelants, il me prend la main dans un moment furtif, comme avant. Notre passé lui revient-il soudain à l'esprit ? Jamais il n'a pu douter de ma sincérité et de ma fidélité. Ces moments de grâce revenue me comblent. Je chasse les mauvais souvenirs, je les attribue à la pression, au poids des responsabilités. Il travaille comme un fou, le soir et le week-end, sans répit. Enfin, c'est ce qu'il me dit.

Et puis sans prévenir, il peut redevenir odieux. Comme ce soir de septembre 2013. Nous dînons devant mon bureau, dans le jardin, presque au pied du bonsaï géant que Bernadette Chirac a offert à son mari pour son anniversaire. Le samedi suivant, François doit se rendre aux jeux de la Francophonie à Nice. J'aimerais l'accompagner.
– Je ne vois pas ce que tu viendrais y faire, me rétorque-t-il avec méchanceté.
– C'est un samedi soir, il y aura un spectacle, nous pouvons y être ensemble.
– Tu n'as rien à y faire, c'est non.

Je sens que cela n'est pas négociable pour lui. Je ne comprends pas. Non seulement il ne cède pas d'un pouce

mais il avance même son départ, pour être sûr de partir seul. Lorsque je devine son stratagème, j'appelle sa chef de cabinet pour lui dire que je vais être du voyage. La colère de François redouble.
– Je préfère annuler que d'y aller avec toi.
J'insiste. Il prétexte une visite chez son père et son frère. Raison de plus pour que je l'accompagne.
– Tu m'élimines de ta vie publique et maintenant de ta vie privée, que me reste-t-il ?

Il se tait, buté. Pas une seconde je n'imagine qu'il va rejoindre une autre femme. Je suis secouée par une crise de désespoir et je me réfugie sous la couette. Il part en me voyant dans cet état. Je reste seule. Pris d'un accès de remords, il me propose par téléphone de le rejoindre dans la soirée avec un autre avion. C'est moi qui refuse.

Aujourd'hui, ces souvenirs me mordent alors que je sais son infidélité. Je revisite les mois, les semaines. Je comprends ce que je n'ai pas voulu voir, ou qu'il m'a dissimulé avec cette science du mensonge qu'il cultive depuis si longtemps. Dehors, c'est l'été, je me sens comme une terre brûlée. Je dors beaucoup, guettant le sommeil comme une bénédiction. Dormir sans rêver, sans la douleur qui creuse son sillon, sans la colère qui me ravage, le manque qui me dévore... Je me recouche le matin et même parfois l'après-midi.

Six mois déjà.

Chaque jour, François me supplie de le voir, de tout recommencer comme avant. Chaque jour, il m'envoie des messages me disant qu'il m'aime, il propose que nous nous affichions ensemble. Je refuse toutes ses suggestions. Il n'y aura plus jamais d'avant. Je me barricade dans mon refus de le revoir. Je redouble de fermeté et lui de douceur. Trop de mensonges, trop de trahisons, trop de cruauté. Je dois tenir. Faire sans lui. Vivre sans lui. Penser sans lui. Aimer sans lui. J'aurais pu décider de le croire et accepter sa proposition. Revenir par la grande porte. J'aurais pu savourer une revanche sur tous ceux qui s'étaient réjouis de mon départ. J'aurais eu quelques jours d'euphorie, et après ? Quelle aurait été ma vie sur le champ de cendre de nos amours brûlées ? Dans cet éphémère, je préfère la noirceur à la griserie. J'aurais pu récupérer « l'aile Madame ». Au lieu de ça, j'en ai désormais deux : deux ailes pour reprendre mon envol.

Je retrouve mes amis du Secours populaire. Il n'y a rien de mieux pour me sortir de ma léthargie et me redonner l'envie d'aller de l'avant. Nous préparons les soixante-dix ans de ce mouvement, issue de la Résistance. J'aime sa philosophie, j'aime ses dirigeants. Julien Lauprêtre est à la tête du « Secours pop' » depuis bientôt soixante ans. Je l'appelle « mon Président ». Notre rencontre date d'octobre 2012. À l'époque, je commence à remettre timidement les pieds à l'Élysée, après la série de livres sur moi. La lettre d'excuses de Jakubyszyn, le coauteur du plus atroce de ces ouvrages, n'arrivera que des mois plus tard. Elle n'effacera rien du mal qu'il m'a fait, des ravages de ses propos diffamatoires.

Je ne sais pas encore quoi faire de ce rôle, à la fois beau et empoisonné, de première dame. Comme compagne du Président, je reçois beaucoup de cadeaux, le plus souvent des produits de beauté luxueux. J'ai envie de les donner à des femmes qui vivent dans la précarité. Mais il n'y en a pas suffisamment pour que ce don soit intéressant. Je sollicite donc de grandes marques, qui jouent le jeu. Mon bureau est vite envahi de cartons. François me demande même si j'ai décidé d'ouvrir une PME.

J'appelle alors le Secours populaire, en leur disant que j'ai une proposition à leur faire. Julien Lauprêtre vient avec trois de ses collaborateurs. Il me raconte d'abord son incroyable parcours, l'histoire du Secours populaire. J'appréhende sa réaction quand il va connaître mon idée, mais je me lance. Il est enthousiaste :

– C'est exactement ce que nous voulons, redonner de la dignité aux gens. Pourquoi ne venez-vous pas les distribuer vous-même ?

Je lui explique que je ne cherche pas à me mettre en avant, et que depuis mes débuts douloureux, je fuis la lumière des caméras. Il me convainc de m'engager et je lui dois beaucoup. Ce jour-là, Julien Lauprêtre m'aide à me remettre en marche.

Loin des médias, je vais apporter ces produits de beauté dans quatre foyers. Je rencontre des femmes isolées avec leur enfant, certaines sont venues se mettre à l'abri parce qu'elles ont été battues. Mes parfums et mes rouges à lèvres apparaissent comme bien peu de chose dans ces vies de misère, mais ils apportent ce superflu qui parfois permet de ne plus baisser les yeux.

Je me souviens du premier bâton de rouge à lèvres un peu raffiné que je me suis offert, du sentiment de féminité qu'il m'a donné. Jusque-là, j'empruntais ceux de ma mère ou de ma grand-mère, mémé Simone, à qui je prenais aussi une poudre de riz dont je n'oublierai jamais la bonne odeur, malgré la marque bas de gamme. Ma petite grand-mère, qui nous a élevés aux côtés de mes parents, n'était qu'une simple couturière avec ses doigts experts, mais elle était tellement coquette. Je porte toujours certains de ses tricots. J'ai précieusement conservé la layette de mes enfants qu'elle avait réalisée au crochet. J'ai encore le goût de la pastille Pulmoll que nous venions régulièrement lui quémander à la porte de sa chambre.

Ces souvenirs me rapprochent de ces femmes. J'aurais pu être une enfant du Secours populaire si ma grand-mère n'avait pas mis du beurre dans les épinards avec ses travaux d'aiguille. Nous avons eu la chance de partir en vacances chaque année au bord de la mer. Tant d'enfants ne l'ont pas.

En vingt mois passés à l'Élysée, mon meilleur souvenir reste d'ailleurs ma sortie à Cabourg avec… cinq mille enfants du Secours populaire. Je fais le voyage en car avec la fédération de Clichy-la-Garenne. Nous partons à 7 heures du matin. Au total, cent vingt cars quittent l'Île-de-France pour rejoindre la station balnéaire de Marcel Proust. Le départ est calme, les enfants dorment à moitié. Après la

pause en-cas de compotes et de brioches sur l'autoroute, dans une mêlée de casquettes jaunes, rouges, bleues, vertes – chacune correspondant à un département –, l'excitation monte dans le car. Avant même d'entrevoir la mer pour la première fois, certains petits découvrent l'élégance des villas. J'entends une voix émerveillée :
– C'est beau ici, ils ont même une maison par famille !

Nous sommes loin des cités dont la plupart ne sont jamais sortis. Un autre petit garçon me confie :
– J'aimerais tellement revenir avec ma mère, qu'elle voie ça aussi.

Ce jour-là, je perçois la véritable misère en France. Je remarque des enfants qui cachent leur sandwich pour le rapporter et le partager chez eux. Je découvre des petits qui n'ont pas de maillot de bain et portent des vêtements usés jusqu'à la corde.

Avant de partir, je me demandais si une journée de bord de mer n'était pas dérisoire. Je comprends mon erreur. Une journée de bonheur, rien qu'une journée, leur permet d'ouvrir leur regard, de connaître un autre horizon que celui de la cité, et à la rentrée, ils pourront raconter, eux aussi, ce qu'ils ont fait d'extraordinaire pendant les vacances.

Je suis aussi heureuse qu'eux, en ce 28 août 2013. François Hollande n'a pas voulu prendre de vacances, mais je l'ai reçue ma JOV, la Journée des Oubliés des Vacances ! Les enfants ne connaissent ni mon nom ni mon visage, mais ils ont été informés de mon rôle. Filles et garçons viennent à ma rencontre.

– C'est vrai que tu es la femme du Président ? Et tu viens nous voir ?

Sans le Secours populaire, ils seraient les oubliés tout court, ceux à qui on laisse tellement peu de chances de s'en sortir, enfermés dans leur tour de banlieue, qui borne leur horizon. Ceux que l'on relègue hors les murs, hors la ville, hors la vie.

Je relève le bas de mon pantalon pour goûter l'eau de mer. Entre la cohue des caméras et des enfants, je suis trempée, je risque même d'un cheveu de me retrouver entièrement à l'eau. Je reprends à peine mon équilibre qu'une petite fille fend le mur humain pour se jeter dans mes bras.

– Je te cherche partout depuis ce matin.

L'enfance est parfois le temps des résolutions que rien n'arrête. Houssainatou ne me lâche plus la main de la journée, transgressant les règles, car chaque fédération doit rester dans son espace. Le soir, nous avons du mal à nous quitter. Je n'ai pas son nom de famille, mais elle me colle sur toutes les images.

Au retour, je veux lui envoyer une photo et un mot. Il nous faut mener une petite enquête. Je lui écris :

– Tu m'avais cherchée sur toute la plage. Moi je t'ai cherchée dans toute l'Île-de-France.

Elle me répond une très belle lettre. Six mois plus tard, elle vient à l'Élysée pour Noël avec d'autres enfants du Secours.

Nous terminons la journée à Cabourg avec les bénévoles autour d'un vin rouge-saucisson. C'est cette gauche-là que j'aime, celle dont je suis issue. Puis, avant de reprendre la route pour Paris, avec mon équipe de l'Élysée nous nous offrons une petite pause, car nous n'avons pas pu toucher à la moindre nourriture tellement les sollicitations étaient nombreuses. Dans un petit restaurant, nous dévorons un menu camembert chaud-frites-andouille. Ça existe ! Quelle belle journée… Même si le lendemain, je découvre partout sur mon corps des hématomes : souvenirs des bousculades et des vives embrassades.

Après ma rupture avec François Hollande, le Secours populaire ne m'oublie pas. L'équipe dirigeante m'envoie des messages et les enfants des dessins. Nous avons beaucoup de projets ensemble. Je retourne cette année avec les enfants à Ouistreham. J'entraîne désormais mon amie Saïda dans ce bénévolat. Elle aussi aurait pu être une enfant du Secours populaire de Roubaix où elle est née. Nous partageons le même enthousiasme. Nous avons eu la chance de nous en sortir.

Être aux côtés de ces petits Français ne m'empêche pas de voir au-delà de nos frontières, là où le drame et la violence s'ajoutent à la misère. Peu m'importe la nationalité d'un enfant qui souffre. Chaque jour, je tente d'agir contre l'oubli des jeunes filles nigérianes enlevées par Boko Haram : elles sombrent dans l'indifférence générale. Elles sont pourtant le symbole de l'oppression des femmes dans le monde. Aujourd'hui, elles n'intéressent plus personne. Ni les grands de ce monde, ni les stars offusquées d'un jour. On laisse faire, comme on a laissé les femmes de République démocratique du Congo se faire violer par milliers.

En deux ans, je suis allée trois fois en RDC. Je découvre la tragédie des femmes de ce pays dans l'hôpital du docteur Mukwege à Bukavu dans le Sud-Kivu, là où les femmes sont systématiquement agressées. Elles sont violées dans chaque village, sur chaque piste. C'est dément comme un enfer peint par Jérôme Bosch, dans un décor tropical. Il n'y a pas de distinction d'âge, pas de coup de folie. Des hommes en armes massacrent systématiquement leur appareil génital pour les empêcher d'enfanter. Ils utilisent le viol comme une arme de guerre.

Jamais je n'oublierai le témoignage de cette grand-mère de soixante-dix ans qui n'osait plus se rendre aux champs après plusieurs viols. Ni celui de cette femme de trente-cinq ans, abusée par plusieurs hommes devant ses enfants et son mari assassiné ensuite. Comment effacer de ma mémoire les mots et les larmes de cette jeune fille de dix-huit ans, violée, un couteau planté dans le pied pour qu'elle ne s'échappe pas ? Sa petite fille, de deux ans à peine, l'enfant du viol, elle-même violée. J'entends encore ses hurlements, lorsque sa mère s'est mise à la déshabiller pour me montrer ses plaies.

Pourtant aguerri et tout à son combat, le docteur Mukwege a la voix qui tremble quand il évoque la recrudescence de viols d'enfants. On sent sa lassitude, lui qui, depuis vingt ans, répare les femmes déchirées à coups de tessons de bouteille introduits dans leur vagin. Quand ce n'est pas avec des armes. Comme toutes les photos qui témoignaient de mes actions humanitaires, les visages de ces femmes ont été gommés, en un seul clic, du site de l'Élysée, mais elles vivent encore en moi.

Le médecin congolais ne peut vivre sans protection, après avoir échappé à deux tentatives de meurtre. Dans un pays en guerre civile, dénoncer un crime est un crime. Les femmes n'osent pas témoigner.

Denis Mukwege m'a été présenté par Osvalde Lewat, l'épouse de l'ambassadeur de France à Kinshasa. C'est une ancienne journaliste, réalisatrice et photographe de talent, nous nous sommes immédiatement senties complices. Elle soutient alors l'association VTA qui recueille des jeunes filles de la rue, chassées de chez elles car suspectées d'être enfants sorciers, parfois suppliciées. L'association leur permet d'échapper aux violeurs.

Alors qu'elles étaient réunies dans les jardins de l'ambassade, j'ai entendu l'une d'entre elles chanter d'une voix extraordinaire : « Non, non, nous ne sommes pas enfants sorciers. » Presque toutes les jeunes filles pleuraient ; la musique sublimait leur douleur. La délégation, le personnel de l'ambassade, les journalistes présents, l'émotion les parcourait tous comme une vague.

Je suis allée chercher François, je voulais qu'il écoute cette chanson. La jeune fille a recommencé. Le cliché de cet instant est paru à de nombreuses reprises. Nous sommes sur un banc à côté de deux petites filles. François a le regard dans le vide, il est ailleurs.

Où ?

Quelques mois après ma première visite en RDC, alors que j'accompagne François Hollande pour le sommet de la Francophonie, Osvalde me propose de rencontrer le docteur Mukwege. Immédiatement, je suis impressionnée par le fluide que dégage cet homme à la prestance magnifique. Son visage semble sculpté par l'humanité dont il fait preuve.

Il me demande de l'aide. Il ne veut pas d'argent, mais un relais pour que l'opinion sache que des dizaines de milliers de femmes sont victimes de crimes sans que personne ou presque ne bouge. Il pense que ma voix peut aider. Je lui promets d'agir. Nous publions une tribune dans *Le Monde* signée par de nombreuses personnalités. Avec la fondation Danielle-Mitterrand, nous envoyons quatre médecins français, dont le docteur Crezé qui l'a formé à Angers, pour renforcer l'enseignement dans son hôpital. Quatre médecins congolais sont ensuite accueillis au CHU d'Angers durant quatre mois.

Je me rends avec le docteur Mukwege devant le Conseil des droits de l'homme pour un *side event,* un événement parallèle pour plaider la cause des femmes congolaises. Pour la première fois, je fais un discours, je m'adresse à un parterre d'ambassadeurs et de responsables associatifs. Ma voix est mal assurée. Je recommence à New York, cette fois à l'ONU, devant les ministres des Affaires étrangères. Ma voix tremble toujours. C'est ce que j'ai vécu de plus impressionnant.

Je fais intégrer le docteur Mukwege à la délégation française pour qu'il puisse rencontrer le Président dans l'avion qui rentre à Paris, tandis que je reste vingt-quatre heures de plus à New York à l'invitation du ministre des Affaires étrangères anglais. Je réussis à voir François avant son départ pour l'en avertir. Il ne me pose pas une question sur ce que je viens de faire. Nicolas Sarkozy était venu écouter Carla. Je n'en demande pas tant, mais son indifférence une fois de plus me glace.

Le 6 décembre 2013, je poursuis le combat en faveur des femmes violées de RDC en réunissant les épouses des chefs d'État africains qui se sont retrouvés à Paris pour un sommet sur la sécurité. Nous, nous parlons des violences faites aux femmes pendant les conflits. Avec Osvalde et Arnaud Sélignac, nous avons réalisé un film coup de poing que nous diffusons. Près de vingt-cinq épouses sont présentes à notre « sommet de femmes ». Des victimes arrivent de Centrafrique et de Lybie pour témoigner. Nous signons une charte nous engageant à lutter contre ces violences, que je veux faire signer par toutes les premières dames du monde. L'épouse du Premier ministre finlandais et celle du japonais la paraphent aussi. Mais Nelson Mandela meurt ce jour-là. C'est un événement planétaire. Logiquement, la presse ne relaie quasiment pas notre événement.

Le soir, lors du dîner officiel en l'honneur des chefs d'État africains, les épouses font l'éloge à François de ce que nous avons organisé. Il me regarde avec des yeux ronds, il semble découvrir la chose…

Première dame n'est pas un statut, c'est un rôle incertain et flou, que chacune habite à sa manière. Jour après jour, j'apprends à trouver ce qui me convient, ce qui ne déclenche pas de polémiques ou du moins pas trop. J'aime me souvenir de cette journée fériée que nous avons passée avec mon équipe à remplir des cartons de livres et de jouets

Écoiffier pour le Mali. Nous en avions récolté beaucoup, des dizaines et des dizaines de kilos que l'Armée française acceptait jusqu'à Bamako et Gao. Les opérations militaires sur place s'intensifiaient et il devenait déraisonnable d'aller sur le terrain.

Ce jour-là, Catherine, Marina, Monique, Carole et moi, sommes à genoux à même le sol, dans « le couloir Madame » et dans une joyeuse ambiance. Je ne suis pas certaine qu'une autre première dame avant moi ait été vue dans cette posture. Les gardes républicains n'en reviennent pas et nous proposent leur aide. Nous avons réparti soigneusement les dons en fonction des destinataires : écoles, pouponnières, etc.

Avec mon équipe, nous traversons aussi des drames et connaissons des échecs. Je reçois notamment une demande de la Chaîne de l'espoir, cette association qui opère le cœur d'enfants du monde entier. Je rencontre plusieurs fois les professeurs Alain Deloche et Éric Cheysson, qui me plaisent immédiatement pour leur engagement et leur enthousiasme. Nous cherchons des fonds ensemble afin d'ouvrir une antenne de chirurgie cardiaque pour les enfants à Bamako. Notre but est presque atteint quand les photos du scooter présidentiel paraissent. Je ne sais pas ce que notre projet est devenu.

Je dois à la Chaîne de l'espoir l'un de mes souvenirs les

plus durs, sans que ses responsables y soient pour quelque chose, évidemment. Un matin de novembre 2013, une urgence tombe. Un enfant malien, prénommé Lamina, a besoin d'être opéré le plus rapidement possible, sans quoi il perdra la vie. Il n'a ni visa ni moyen de transport. La Chaîne de l'espoir fait appel à moi. Je me tourne vers le chef-médecin militaire de l'Élysée qui participe à nos missions humanitaires. En moins de vingt-quatre heures, tout est réglé, pour une opération à Necker deux jours plus tard. J'ai l'impression d'avoir une baguette magique entre les mains qui va nous permettre de sauver la vie d'un enfant. C'est irréel et merveilleux.

Lamina est opéré. Son père l'attend en France, mais sa mère reste au Mali. Quarante-huit heures plus tard, des complications interviennent. Lamina tombe dans le coma et meurt. Je me sens responsable de sa mort. Les médecins m'assurent que si Lamina était resté au Mali, l'issue aurait été fatale également. Mais je ne me pardonne pas que cet enfant ne soit pas mort dans les bras de sa mère. Je pense à cette femme à qui nous avons renvoyé un cercueil alors qu'elle nous a fait confiance.

J'ai soudain la tentation de tout arrêter, tant je me sens impuissante et désespérée. Mon équipe fait bloc pour me remonter le moral. Les médecins savent également trouver les mots. Ils ont l'expérience de ce genre de situation. Moi pas. Je ne suis pas préparée.

Être première dame, c'est parfois constituer un dernier recours. Un soir, alors que je suis seule chez nous, une jeune femme m'interpelle sur Twitter. Je lui réponds. Je perçois sa détresse et lui demande son numéro de téléphone. Je l'appelle. Au bout de la ligne, une voix à peine audible me répète « je veux en finir ». Je n'arrive pas à instaurer un dialogue. Je lui propose de m'expliquer par écrit ce qu'elle n'arrive pas à me dire et lui donne mon adresse mail.

Je ne reçois que des bribes de phrases, toujours sur le même mode. J'ai ses coordonnées, je les transmets à mon chef de cabinet Patrice Biancone en lui demandant de faire intervenir un médecin ou les services sociaux de l'Élysée. Dans nos échanges, elle m'a transmis l'adresse où elle se trouve. Cette professeure reconnue a échoué dans un hôtel bas de gamme de banlieue. Le lendemain, elle m'envoie un mail terrible : « Merci pour tout, Valérie, je vous dis adieu. »

Avec Patrice, nous intervenons auprès de l'hôtel pour qu'il force sa porte. Elle est inanimée. Les pompiers peuvent la sauver *in extremis,* bien qu'elle ait avalé un impressionnant cocktail de détergents, de médicaments et d'alcool. Elle reste hospitalisée trois mois.

Ironie du destin, quand je me retrouve quelques mois plus tard à mon tour alitée, elle reprend contact avec moi, pour me soutenir. Nous échangeons régulièrement. Mais je me suis souvent interrogée. N'ai-je pas commis une erreur en attrapant sa bouteille à la mer ? Serait-elle passée à l'acte si elle n'avait pas su que j'étais à son écoute ? Comment savoir ? Première dame, c'est être confrontée à toutes les situations.

Mon cabinet, tant décrié par certains car financé par les fonds publics, n'a pas chômé, bien qu'il soit nettement plus réduit et que son coût soit largement inférieur aux cabinets des précédentes premières dames. Pendant deux ans, nous recevons des demandes innombrables. Sans arrêt. Sur tous les terrains, même les plus inattendus. Le personnel de la Présidence me sollicite même pour des requêtes qui relèvent d'une DRH. Ils ont compris que j'étais de leur côté.

Si les associations ont toujours vu l'utilité de mon rôle, l'opinion ne m'a pas fait de cadeau. Aux yeux de nombreux Français, depuis le premier jour, je suis illégitime, j'ai pris la place d'une autre, au nom prédestiné, à la figure de madone. Sous le feu permanent des chaînes d'information et des réseaux sociaux, les procès d'intention ont jalonné mon voyage à l'Élysée. Régulièrement je découvre que je suis convoquée chez le juge pour détournement de fonds publics. Rien n'est vrai. Avec le temps, selon la formule consacrée, le cuir se tanne, le cœur se bronze. Mais ceux qui vous diront être indifférents à l'impopularité mentent.

J'ai ainsi reçu comme un coup de poignard les quelques secondes volées lors d'un déplacement du Président à Dijon, en mars 2013. Ce voyage de deux jours est une idée de son équipe pour permettre au Président de renouer avec les Français, alors que sa cote dans les sondages d'opinion est en chute libre. C'est un fiasco pour lui, et une séquence d'une extrême violence pour moi. Une femme âgée l'aborde dans la rue pour lui dire :

– Ne vous mariez pas avec Valérie, nous, on ne l'aime pas.

Ce n'est pas très délicat, mais c'est sa liberté. Sa flèche n'est rien à côté de l'éclat de rire de François… Mon Dieu, comme je lui en ai voulu à cet instant ! Incapable, par lâcheté, de répondre par une phrase de soutien, un mot gentil d'esquive comme il sait si bien le faire. J'en pleure devant ma télévision. Moi qui ne laisse jamais passer une attaque méprisante ou injurieuse contre lui, il se moque du sort qui m'est réservé et cherche d'abord à préserver son propre capital de sympathie, qui fond à vue d'œil.

Un dimanche d'hiver, alors que nous nous promenons sur les quais près de chez nous, François se fait insulter à deux reprises. Il doit me retenir par le bras pour m'empêcher d'aller demander des explications. Nous rentrons dans un silence de mort. Il n'y a plus eu de promenade par la suite. Il ne supporte pas ces attaques frontales. Il sait aussi qu'à tout moment la fille de la ZUP peut surgir en moi. Comme ce jour avant l'élection où je lance « Viens le dire là, connard ! » à un homme qui venait d'agresser verbalement François.

Six mois plus tard, l'affaire Leonarda fait partie des quatre ou cinq moments du quinquennat qui entament durablement le crédit du Président – et j'y joue un rôle, bien qu'il reste mineur. En cette rentrée 2013, je choisis de prononcer la dictée ELA dans l'école de mon enfance, à Angers. La directrice accepte. Deux de mes anciennes institutrices font le voyage pour l'occasion. L'une d'entre elle a énormément compté pour moi. Elle était belle et elle me fascinait, je voulais lui plaire et lui ressembler. C'était il y a presque quarante ans…

À mon époque, l'établissement était en ZUP, il est désormais en ZEP. L'école Paul-Valéry accueille beaucoup d'enfants de réfugiés dont un grand nombre ne parlent pas bien le français. Je suis accompagnée de l'équipe d'ELA et d'un petit garçon lourdement handicapé. Ce jour-là, l'affaire Leonarda agite les médias, des groupes de lycéens prennent sa défense. Je m'attends évidemment à une question. Je prépare ma réponse afin qu'elle ne prête pas le flanc à la polémique, avec une formule balancée :
– L'école est un lieu d'intégration, pas d'exclusion, comme elle doit l'être pour les enfants handicapés.

La deuxième partie de ma phrase n'intéresse personne et ne sera pas reprise. J'ajoute que Leonarda n'est pas responsable des actes de son père. Aucun enfant n'est comptable des fautes de ses parents. J'ai été choquée que la police ait fait descendre cette enfant de son bus scolaire devant ses camarades.

Je suis aussitôt accusée d'ajouter de l'huile sur le feu. La colère de François me saisit comme une gifle. Il ne veut même pas me voir, à mon retour, mais j'insiste pour qu'il trouve un moment de libre pour que l'on puisse en parler. Il vient et me reproche d'être intervenue avant lui. Je suis surprise.

– Parce que tu comptes t'exprimer à propos de cette histoire ?

– Rien n'est encore décidé, mais oui, je parlerai sans doute demain.

Cela ne me semble pas être une bonne idée mais je n'ose plus rien dire. À ce moment-là, le Président n'a pas encore fait son choix : la famille doit-elle être expulsée ou rester ? Il n'en sait rien. Il a une guerre à régler entre Manuel Valls et Jean-Marc Ayrault. Timidement, je propose une solution.

– Et la petite, elle ne peut pas finir sa scolarité en France dans un pensionnat, comme c'est le cas pour les mineurs isolés ?

– Non, ça, c'est impossible, me répond-il en haussant les épaules.

Le lendemain matin, il n'a encore pris aucune décision. Au moment où je pars à la Lanterne faire du vélo, je vois arriver par le jardin les véhicules de Jean-Marc Ayrault et Manuel Valls. Je pédale plus longtemps ce jour-là. En prenant ma douche, au retour, j'allume la radio. Il est presque 13 heures. J'apprends que François va s'exprimer. Il ne m'a pas prévenue.

Je me dépêche pour allumer la télévision. J'ignore totalement ce qu'il va dire. À ma grande stupéfaction, je découvre qu'il retient ma proposition, qu'il jugeait encore idiote la veille. En fait, ce n'est pas un choix qu'il fait mais encore une façon d'esquiver le duel entre le Premier ministre et le ministre de l'Intérieur.

C'est le tollé. Les politiques et les éditorialistes tombent à bras raccourcis sur le Président. Sa proposition d'accueillir Leonarda n'est pas comprise, elle est perçue comme un acte de faiblesse. Pourtant, protéger les enfants me paraît une décision courageuse. Et même si c'est impopulaire, je lui suis reconnaissante de sa proposition.

Un mois plus tard, je dois remettre le prix de la fondation Danielle-Mitterrand et prépare un discours qui reprend les actions que j'ai menées en son nom. À la fin du texte, je lui rends hommage en imaginant ce que la femme du premier Président socialiste aurait dit en 2013 si elle était toujours parmi nous : « Danielle Mitterrand aurait-elle gardé le silence devant le drame des femmes violées en RDC? Danielle Mitterrand aurait-elle gardé le silence devant le drame syrien et ses réfugiés? ». Je termine mon discours par un « Je ne me tairai plus », en lien avec la campagne de soutien aux femmes violées dont le nom est « Rompre le silence ».

L'AFP fait fi de la teneur du discours sur l'humanitaire pour ne retenir que la conclusion et la sortir de son contexte. Avec une énorme mauvaise foi, l'agence y voit une suite de l'affaire Leonarda, un rappel du tweet sur l'élection à La Rochelle et une volonté d'intervenir à nouveau dans le débat politique. Une nouvelle polémique enflamme aussitôt la Toile et les chaînes d'information.

L'ambiance le soir à l'Élysée est orageuse. J'ai droit à une nouvelle salve ininterrompue de critiques blessantes, jusque dans notre lit. Je n'en peux plus. Jamais de compliments, pas un mot d'encouragement, uniquement des reproches cruels. Il est près de minuit, je décide de me rhabiller et de partir.

François tente de me retenir, puis d'appeler un chauffeur. Je sors seule, par la cour d'honneur. Je ne baisse pas mes yeux humides devant les gendarmes qui me saluent lorsque je franchis la grille. Je pars sans argent avec juste les clés de la rue Cauchy dans la poche.

Deux minutes plus tard, mon téléphone sonne sans arrêt. François d'un côté, mon officier de sécurité de l'autre, s'inquiètent et me harcèlent de coups de fil. Je ne décroche pas pendant près d'une heure, je rentre à pied rue Cauchy. Cela me fait du bien. Je retrouve mon refuge, mon domicile. Le lendemain, l'AFP rectifie sa dépêche, François admet son erreur et reconnaît que mon discours a été mal relayé.

Comme ces vagues de disputes paraissent loin depuis notre rupture. Certaines nous avaient déchirés. En mai 2013, je décide de le quitter. Il est trop dur, je n'en peux plus de sa méchanceté. Je rentre rue Cauchy et lui interdis d'y revenir. Pendant trois semaines, nous ne nous voyons pas. Je pars les week-ends aux quatre coins de la France avec des amis. Mais je finis par revenir. Je suis droguée de lui. Je n'imagine pas un instant qu'il a profité de sa liberté pour en voir une autre... Éternelle naïveté des femmes fidèles.

Aujourd'hui, je ne reconnais plus ce compagnon cassant dans l'homme qui me refait la cour comme au premier jour. Il est redevenu attentionné, comme s'il avait « fendu cette mer gelée » en lui dont parlait Kafka pour évoquer notre forteresse intérieure. Il me couvre à nouveau de compliments, lui qui en était devenu si avare. Il remarque tout ce que je fais, connaît toujours l'endroit où je me trouve, m'encourage dans mes initiatives, me félicite pour les deux ou trois courtes interviews que j'ai données pour le Secours populaire ou à propos des lycéennes nigérianes. Quand nous vivions ensemble, il ne connaissait même pas le nom de l'émission que j'animais à la télévision… Effort suprême, il lit même mes chroniques dans *Paris-Match* en plus des pages politiques !

Le Président affairé, débordé et indifférent s'est métamorphosé en un Président attentionné, qui trouve le temps de lire ce qui me concerne, de m'écrire des dizaines de textos, y compris quand il conduit des réunions à l'Élysée. Quel paradoxe ! Je lui résiste, je retrouve une valeur marchande pour l'homme dont la conquête est le moteur.

En décembre 2013, lorsque Nelson Mandela est hospitalisé dans un état désespéré, je dis à François que je souhaite l'accompagner lors des obsèques qui s'annoncent. J'ai droit à sa fameuse réplique :

– Je ne vois pas ce que tu viendrais y faire.

Je lui réponds que j'irai coûte que coûte, avec ma carte de presse et en payant mon billet d'avion.

Le matin de la mort de « Madiba », je n'ose pas aborder le sujet au petit déjeuner, tellement j'ai peur d'être refoulée. Je lui envoie un SMS dans la journée. Il me répond qu'il est d'accord. J'apprends ensuite que ce n'est pas sa décision. Les « diplos » insistent pour que je sois du voyage : Barack Obama et la plupart des chefs d'État se rendent à l'enterrement accompagnés de leur épouse.

Je suis émue à l'idée d'assister à cette cérémonie. Nous venons à peine de rentrer du Brésil et de Guyane lorsque nous repartons, suivis par un second avion que Nicolas Sarkozy a demandé pour lui. À l'aéroport, François propose d'emmener son prédécesseur dans sa voiture et de me laisser dans un autre véhicule. Je lui réponds un peu vivement :

– Tu crois qu'il aurait planté Carla pour toi ?

La réplique le laisse sans voix et je monte avec lui. Dans le stade, François m'ignore. Seul Nicolas Sarkozy compte à ses yeux. Je me tiens éloignée pour les laisser parler. C'est l'ancien Président qui vient me chercher et c'est lui qui me présente aux autres chefs d'État.

François et Nicolas Sarkozy rient tous les deux. Je ne trouve pas cela très habile, alors je me renfrogne. Sur les photos, je donne l'impression d'être une mère qui surveille du coin de l'œil des enfants turbulents. Comme deux anciens combattants qui se retrouvent, ils évoquent les inconvénients de la fonction : les mauvais ministres, les vacances, les attaques. Sarkozy lui détaille la somptueuse propriété que le roi du Maroc met à disposition de sa famille. Aucun des sujets brûlants du moment n'est plus important pour eux.

Cette complicité affichée est-elle adaptée aux circonstances ? Nous sommes aux obsèques de Mandela, retransmises dans le monde entier. Et les deux ennemis s'amusent. Nicolas Sarkozy mène le bal. Je suis gênée que François se comporte ainsi devant lui. Je le lui fais remarquer. Le ton monte. Il m'assure qu'il ne m'emmènera plus nulle part.

Heureusement, l'arrivée des présidents américains dissipe l'électricité qui plane au-dessus de nos deux têtes. Je vois arriver, en l'espace de quelques minutes, Barack et Michelle Obama, Bill et Hillary Clinton ainsi que le couple Bush, je suis impressionnée. Pour la première fois, je serre la main de Barack Obama et croise son regard très direct. Mais à nouveau, c'est Michelle Obama qui me fascine. Elle est stupéfiante de charisme.

Au cours de la cérémonie, l'image du Président américain faisant un selfie avec la Première ministre danoise blonde fait le tour du monde. J'observe la mine sombre de Michelle à côté, et elle me plaît encore davantage. Je me réjouis de ne pas être la seule jalouse. Oui, jalouse, je le suis. Comme je l'ai été avec chaque homme que j'ai aimé. Je ne sais pas ne pas l'être lorsque je suis amoureuse.

De François, je suis jalouse comme jamais dans ma vie, parce que je l'ai aimé comme jamais aucun autre homme. Je ne supporte pas que des femmes viennent poser leur tête sur son épaule et le prennent par la taille pour faire une photo. Non, je n'aime pas ça. Il m'est même arrivé d'en dégager quelques-unes. Ces femmes auraient-elles aimé que je me colle contre leur mari ?

Cécilia Attias, la précédente épouse de Nicolas Sarkozy, a raconté qu'elle voyait des femmes donner leur numéro de téléphone à son mari. Elle en concluait que rien n'arrête une femme attirée par le pouvoir. Quelle triste remarque – pourtant si juste.

Ce procès en femme attirée par la lumière et le spectre du pouvoir m'a été fait de manière indue. Mes accusateurs oublient que je suis tombée amoureuse d'un homme qui recueillait 3 % d'intentions de vote dans les sondages, quand il n'était pas oublié par les sondeurs dans la liste des candidats possibles. Si j'avais dû miser, il était des chevaux plus prometteurs ! Ce n'est pas la même chose que tomber en pamoison devant un président de la République entre deux sommets internationaux.

Étrangement, aucun de ceux ou de celles qui ont critiqué ma jalousie n'a évoqué celle de François, aussi envahissante. Plus maître de lui, il n'a rien montré en public. Mais dans l'intimité, il ne me passait rien. Aujourd'hui encore, alors qu'il m'a débarquée brutalement de sa vie, il ne supporte pas l'idée que je puisse vivre une histoire avec un autre homme que lui.

Les échotiers le disent libéré et gai comme un pinson. Pourtant, dès que la presse m'affuble d'un nouvel amant, ses messages sont d'une rare violence… Lorsqu'il me découvre en photo aux côtés d'un autre homme, il ose m'envoyer ce message : « Tout est fini entre nous. » Je lui réponds : « Merci, je suis au courant, depuis le 25 janvier, comme la terre entière. » Deux poids deux mesures, toujours. Je dois rester sa chose. Combien de femmes lui faut-il dans son harem ?

Lors de nos sorties publiques, François pouvait être tranquille et mettre sa jalousie sous le boisseau. Personne ne se permet jamais d'extravagance avec moi. On me reproche cette distance. J'aurais préféré qu'il en soit de même avec lui. « Être sympa » ne fait pas un Président. Je ne cesse de le lui dire. Tous ses conseillers le lui disent. Mais c'est plus fort que lui, c'est son personnage depuis l'enfance, le leader boute-en-train, le chef de bande jovial.

François est aussi incorrigible dans ses rapports avec la presse, qu'il abreuve de messages. Les journalistes politiques ont essayé de comptabiliser le nombre d'entre eux qui reçoivent des SMS du Président. Ils ont dépassé le chiffre ahurissant de 70... Le moindre confrère qui enquête sur un ministre ou une affaire mineure a droit à son rendez-vous avec le Président. Depuis ses premiers pas dans la carrière, il les cajole, même ceux qui le traînent dans la boue. Il ne lâche jamais l'affaire. C'est un homme politique qui aime se muer en journaliste. De mémoire de reporter politique, je n'ai jamais connu une telle fusion avec la presse. Même Nicolas Sarkozy est plus distant avec les médias. C'est dire !

Cette frénésie absorbe François et le perd. Il ne sait pas résister à un micro qui se tend, une caméra qui se pointe sur lui, en attente d'une formule ou d'un bon mot. Miroir, mon beau miroir… Combien de fois l'ai-je vu massacrer « une séquence politique » réussie parce qu'il répondait ensuite à des questions hors sujet, hors contexte, mal filmé, dans un coin sombre, au milieu d'une forêt de micros. Le bon discours était oublié, ne restaient que deux phrases vite balayées par l'actualité.

Je me rappelle un jour d'une scène désolante à Moscou. Son équipe lui explique qu'il ne doit faire aucune déclaration avant sa rencontre avec Poutine. Il répond : « Évidemment non », avant de se précipiter dix minutes plus tard vers les caméras ! J'abdique rapidement.

Pourtant, c'est à l'étranger que je le trouve à son meilleur. Jamais pris en défaut sur un chiffre ou l'histoire d'un pays, il m'impressionne souvent. En dehors d'un ou deux lapsus dus à la fatigue du décalage horaire. Pour avoir suivi les voyages officiels de Jospin et Chirac comme journaliste, j'ai des points de comparaison.

Je m'émerveille à chaque fois de le voir passer les troupes en revue au son des hymnes nationaux. Il peut bien avoir la cravate de travers, ça m'est égal, je mesure à chaque fois le chemin parcouru. Je le dévore des yeux. Je le vois comme dans un film, telle une spectatrice.

Les voyages d'État ont toujours un côté romanesque, c'est la part de rêve d'une fonction harassante. Le plus merveilleux a été celui au Japon et je garde un souvenir enchanteur de notre réception par l'empereur et l'impératrice. Comment la petite fille de la ZUP nord aurait-elle pu imaginer qu'un jour l'impératrice lui demanderait si elle peut l'appeler par son prénom et lui proposerait de faire de même avec elle ? Je refuse de m'adresser à elle autrement que par « Sa Majesté ». Elle connaît mes engagements et m'embrasse devant les caméras en partant. Je m'attends à une pluie de critiques sur le fait que je n'ai pas respecté le protocole. Mais pas cette fois.

Au moment où les ministres français viennent saluer devant nous le couple impérial, nous retrouvons un moment de complicité avec François. Le protocole leur a expliqué comment effectuer une légère révérence avant de repartir à reculons. Ils sont tellement impressionnés et godiches pour certains que nous sommes pris d'un fou rire irrépressible.

À l'aube de l'année 2014, malgré nos heurts et nos querelles, quelque chose de fort nous unit toujours. Entre deux disputes, nous partageons de vrais moments de tendresse, nous restons attirés l'un par l'autre. Nous pouvons nous déchirer un instant et nous retrouver passionnément celui d'après. C'est pourquoi je nous crois insubmersibles.

Avant de découvrir les photos de François allant chez sa maîtresse, j'aurais pu sans hésiter mettre ma tête et mes mains à couper que jamais, il ne serait capable de me trahir, de me renier.

Mais il l'a fait et je n'en reviens toujours pas.

Et je ne reviendrai pas.

Nous sommes le 4 juillet 2014. Vingt-neuf. J'ai compté vingt-neuf SMS hier. Tout au long de son vendredi de président de la République, malgré son emploi du temps minuté, François Hollande m'a envoyé vingt-neuf textos. Je m'en veux de lui avoir répondu et de relancer ainsi la machine infernale. Nous tournons en rond, comme chaque jour. Il me dit toujours la même chose, qu'il veut me retrouver, qu'il nous faut recommencer. Je lui réponds toujours la même chose, qu'il m'a mise à terre, et n'a rien fait pour me relever.

François continue à me jurer qu'il n'a jamais revu Julie Gayet depuis janvier ni eu le moindre contact avec elle. Que lui dit-il à elle ? Que lui écrit-il ? Que lui disait-il de moi pendant leur liaison clandestine ? Qu'il ne m'aimait plus ? Que j'étais invivable ? Que notre relation était platonique ? En matière de lâcheté, les hommes infidèles se ressemblent tous et les hommes de pouvoir se confondent.

Ces dernières années m'ont rendue plus engagée encore. J'avais des convictions, je veux désormais agir. Je suis presque autant sollicitée aujourd'hui, par des associations ou par des médias, qu'au temps de ma vie à l'Élysée, alors que je ne représente plus rien. Je m'amuse de lire que l'on me présente désormais comme « l'ex-première dame », alors qu'au temps où j'avais un bureau à l'Élysée je n'étais que « la compagne de François Hollande ». Je suis devenue médiatiquement première dame le jour où j'ai cessé de l'être dans les faits. C'est d'ailleurs un rôle qui ne quitte pas les femmes qui l'ont incarné. Même si elle a divorcé six mois après l'élection de Nicolas Sarkozy, Cécilia Attias est pour toujours une ex-première dame, au même titre qu'Anne-Aymone Giscard d'Estaing, Bernadette Chirac ou Carla Bruni-Sarkozy.

Ai-je eu tort ? Tout en suivant François, j'ai refusé d'être la poupée de cire que certains auraient aimé voir marcher en silence derrière le Président, soumise et transparente, comme une image d'Épinal. J'ai pu rester un peu moi-même et dire parfois ce que je pensais, malgré la mauvaise image que j'ai traînée et les malentendus qui ont jalonné ces deux ans.

Depuis notre rupture, je constate que les gens ne me regardent plus de la même façon. Les femmes me manifestent sans arrêt leur soutien, au nom de la solidarité féminine. J'espère qu'un jour la sincérité de mes engagements ne sera plus mise en doute. Les graines que j'ai semées à l'Élysée vont germer.

Aujourd'hui, j'ai reçu deux bouquets de fleurs. L'un apporté dans la rue par une petite fille, Élisa, envoyée par sa famille qui voulait me témoigner sa sympathie. L'autre, déposé devant ma porte, adressé par l'une de mes followers. Je ne la connais qu'à travers Twitter. Une enseignante à la retraite qui me défend bec et ongles. Comme j'en suis émue. Chaque jour m'apporte une nouvelle consolation.

J'aurais pu me dérober au rôle de première dame, l'idée m'a traversée. J'aurais pu refuser de mettre les pieds à l'Élysée, ne pas accompagner le Président dans ses visites officielles. Cela n'aurait rien changé aux polémiques, aux insinuations et au roman médiatique. Et je pense que quelque chose aurait manqué. Le protocole prévoit que la représentation de la France se fasse à deux. Et cette fonction symbolique est importante dans notre pays, même si elle sera toujours sujette aux procès d'intention et aux rumeurs.

Je n'ai conservé aucun des cadeaux somptueux que l'on m'a offerts. Les montres Rolex et autres bijoux Chopard que j'ai reçus ont été déposés dans des coffres quai Branly. J'ai fait signer par trois personnes, dont certaines assermentées, la preuve que j'avais rendu ces cadeaux à la République. On n'est jamais trop prudent. Je sais qu'en politique, tout, vraiment tout est permis.

Je ne représente personne, je ne suis candidate à rien. Maintenant que je n'ai plus de rôle officiel, je peux apporter sans crainte mon appui aux causes et aux combats qui me semblent justes. Je suis une femme libre et j'ai envie de continuer à être utile. C'est un si beau mot, « utile », humble et fort à la fois.

Les Ukrainiens de France ou les réfugiés syriens viennent me voir : « Aidez-nous, venez là-bas. » Mais je n'ai qu'une petite voix qui peut aider à faire porter celle des autres. Je suis journaliste et j'ai envie de sortir de mon bureau, d'aller voir et de rendre compte, de témoigner. J'ai visité des camps de réfugiés au Liban, des bidonvilles en Inde, en Afrique du Sud, à Haïti. Mais aussi en France, où certains camps de Roms sont pires encore. Je peux écrire et dire ce que je veux.

Jusqu'à présent, j'ai évité toute parole politique, sur sa politique. Je suis tellement triste de la manière dont les affaires publiques ont dérivé... Je ne me reconnais pas dans ce que je vois et entends. Je ne compte plus les reniements. Je connais ses hésitations, sa façon de gagner du temps, et de rebrousser chemin sans rendre de comptes à quiconque. Sait-il encore où est sa gauche ?

Un jour, François Hollande m'a reproché d'avoir dit à la télévision que j'étais une femme de gauche. Sur le moment, je n'ai pas compris son reproche. Je suis née socialement du côté des plus faibles, de ceux qui comptent chaque euro dépensé. C'est de là que je viens. C'est à eux que je pense, toujours en premier, quand une décision d'économie ou de licenciement est prise, je sais que la vie va être encore plus dure pour eux.

Aurait-il préféré que je dise que « je suis une femme de droite » ? Évidemment non. Je pense qu'il aurait surtout voulu que je me taise, que je sois son amante et sa vestale – et rien d'autre. J'ai eu le tort de ne pas être la personne lisse et douce qu'il aurait aimé avoir à ses côtés lorsqu'il a enfin accédé au pouvoir suprême.

Je me rappelle aujourd'hui une conversation que nous avons eue avant les primaires socialistes. François avait été hospitalisé quelques jours pour une opération bénigne. Lui le suractif était sur un lit d'hôpital, ramené à l'essentiel peut-être.

Ce jour-là, il baisse la garde. C'est la conversation la plus profonde que nous ayons jamais eue. Il m'avoue avoir souffert de faire de la politique en couple. Il me confie que ce n'était pas son choix, mais le fruit des circonstances et de l'ambition de Ségolène Royal qui s'est affirmée au fil des années. Lui si secret, si cadenassé sur son passé, me confie sa souffrance d'avoir partagé cette vie publique, d'avoir été plusieurs fois effacé au profit de la mère de ses enfants.

Tout a commencé quand Ségolène Royal a été nommée ministre par François Mitterrand et lui non : le nom de François a été barré au dernier moment, parce que le Président ne voulait pas nommer un couple au gouvernement.

Je me rappelle aussi une anecdote du temps où j'étais jeune journaliste politique et François Hollande fraîchement député. Nous discutions lors d'une garden-party du 14 juillet à l'Élysée sous François Mitterrand. À quelques pas, Ségolène Royal était sollicitée de toutes parts, quand un invité s'est approché de François et lui a tendu la main en disant :
– Bonjour Monsieur Royal !
François a affiché un sourire crispé. Quand l'importun s'est éloigné, il a murmuré entre ses dents :
– Ça se paiera un jour.

Pour l'avoir vécu à ses côtés, quinze ans plus tard, je sais aussi combien l'envol de la mère de ses enfants vers sa désignation comme candidate du PS, alors qu'il était le premier secrétaire, a été une épreuve pour son orgueil.

Ce jour-là, je pense qu'il me parle de son passé. Mais peut-être s'adresse-t-il aussi à moi ? Je ne comprends pas son message. Nos années enchantées se terminent. Il va se présenter à l'élection présidentielle avec de grandes chances de gagner. Et il ne veut pas composer avec quelqu'un d'autre. Dire que je suis une femme de gauche, exister en dehors de lui le ramène à ses années avec Ségolène Royal, à sa frustration.

À la lumière de cette conversation, je comprends son éloignement au fil de la campagne, sa réaction au moment du tweet, son énervement dès qu'un article chaleureux paraît à mon propos. Un jour, il m'a rageusement reproché la couverture d'un magazine, où nous apparaissions tous les deux.

– On ne voit que toi.

C'est une réaction d'homme blessé. J'ai payé son passé, cette vie politique à deux, qui a si souvent pourri notre présent et obstrué notre avenir.

En même temps, et c'est là le « paradoxe Hollande », cet homme qui ne veut pas partager la lumière, qui veut être seul sur la scène, est tombé amoureux d'une femme qui avait un métier, un passé, trois enfants, un caractère indépendant et libre. Il aurait pu trouver un être plus accommodant. Il a choisi la passion. Ainsi vont les hommes politiques, ces êtres orgueilleux et forts, qui veulent tout et le contraire de tout, car leurs ambitions n'ont pas de limites.

Je ne suis pas dupe non plus : dans certaines circonstances, me mettre en avant l'a arrangé. Comme lors du mariage pour tous. François n'a pas reculé malgré les manifestations monstres. Il a tenu cette promesse alors qu'il n'en était pas convaincu au fond de lui, évoquant même « la liberté de conscience des maires ». En découvrant cette formule, je lui ai envoyé un message dans la seconde pour l'avertir que la phrase ne passerait pas. Et effectivement, devant le tollé, il l'a retirée.

Dans ce combat, je suis allée en première ligne, avec son assentiment, et peut-être même à sa place. Sans doute parce qu'il voit le mariage comme une porte qui se ferme, François n'a jamais compris, sinon de manière théorique, la portée de cette réforme emblématique de la gauche, qui restera peut-être sa seule marque dans l'histoire de France. C'est un joli pied de nez du destin.

Je ne doute pas une seconde que le mariage pour tous sera la dernière grande réforme de gauche. Je suis sûre qu'il n'ira pas jusqu'au bout de son engagement d'accorder le droit de vote aux immigrés aux élections locales, annoncé et promis maintes fois. Manque de conviction, trop d'obstacles, le cheval se cabrera.

Dans ses SMS, François m'écrit que je suis la femme de sa vie. Je connais cette expression, qu'il a déjà employée à mon propos dans une interview, avant de se dédire peu après. L'ambivalence, toujours.

Il y a quelques semaines, il m'a proposé de m'épouser. C'est la troisième fois. La première en 2010, mais je sortais de mon divorce, je n'étais pas prête. La seconde, après son élection, en septembre 2012. Nous avions envisagé un mariage juste avant Noël, en tout petit comité, à Tulle. Il s'est rétracté un mois avant, avec des mots d'une cruauté inouïe. Julie Gayet était déjà dans sa vie, mais je ne le savais pas.

Maintenant, c'est trop tard.

Le mariage n'est pas une réparation. Bien sûr, être mariée avec lui m'aurait facilité la vie. J'aurais été moins illégitime aux yeux des autres et peut-être dans mon inconscient : ce lien officiel m'aurait sans doute apaisée, je n'aurais pas autant perdu confiance en moi. Ce n'était pas de deux alliances dont j'avais besoin, mais que nous soyons alliés. Cet été, avec mon plus jeune fils, nous avons récemment pris deux places pour voir la pièce de Victor Hugo, *Lucrèce Borgia,* à la Comédie-Française. Ce soir-là, le cœur serré, j'ai entendu les mots que Lucrèce lance à son mari, Don Alphonso : « Vous avez laissé le peuple se railler de moi, vous l'avez laissé m'insulter... Qui épouse protège. » La tragédie est éternelle.

Aux côtés de François Hollande, j'ai éprouvé de grands chagrins et des bonheurs aigus, j'ai rencontré des êtres inoubliables, vécu des moments intenses. La personne censée être moi, que les circonstances et la machinerie médiatique ont construite, n'a plus de raison d'être. Ce livre est une bouteille à la mer qui enferme mon passé avec lui. J'ai fait des erreurs, je me suis parfois égarée, j'ai pu blesser, mais je ne joue pas la comédie et j'ai toujours été sincère.

Tout ce que j'écris dans ce livre est vrai. J'ai trop souffert du mensonge pour en commettre à mon tour. Écrire m'a aidée à faire le tri dans ce qui jaillissait de ma colère ou de ma déception. Combien de temps me faudra-t-il encore pour faire le deuil de cet amour ? Le Président a résumé notre histoire en dix-huit mots glacés, qu'il a lui-même dictés à l'AFP. Ces pages en sont la réplique. La dernière dans le tremblement de terre qui a dévasté ma vie. Le point final à notre histoire. Seuls les liront ceux qui veulent comprendre. Les autres passeront leur chemin, et c'est bien ainsi.

Le temps est venu de clore ce récit, écrit avec mes larmes, mes insomnies et mes souvenirs dont certains me brûlent encore. Merci pour ce moment, merci pour cet amour fou, merci pour ce voyage à l'Élysée. Merci aussi pour le gouffre dans lequel tu m'as précipitée. Tu m'as beaucoup appris sur toi, sur les autres et sur moi-même. Je peux désormais être, aller et agir, sans craindre le regard d'autrui, sans quémander le tien. J'ai envie de vivre, d'écrire d'autres pages de cet étrange livre, de ce singulier voyage qu'est une vie de femme. Ce sera sans toi. Je n'ai été ni épousée, ni protégée. Puis-je seulement avoir été aimée autant que j'ai aimé.

Paris, le 31 juillet 2014

Remerciements

Je tiens à remercier, le plus sincèrement possible, mon éditeur Laurent Beccaria, qui a suivi l'écriture de ce témoignage du début à la fin, en me laissant toute la latitude nécessaire. Sans jamais exercer la moindre pression, il a su prendre en compte ma fragilité et m'a guidée, avec générosité, lorsque j'en ai eu besoin.

Merci aussi à Anna Jarota, mon agent littéraire, qui, outre son professionnalisme, m'a soutenue comme une amie… Que soient remerciés aussi mes quatre proches qui ont su garder le secret de cette écriture. Et je demande pardon à ceux de mes amis ou de ma famille que je n'avais pas mis dans la confidence.

Enfin, merci à tous les anonymes qui m'ont écrit, auxquels je n'ai pas eu le temps de répondre : qu'ils sachent que j'ai lu leurs lettres, qu'elles m'ont touchée et m'ont aidée à tenir et à repartir.

Achevé d'imprimer sur les presses
de Marquis Imprimeur
à Louiseville, Québec, Canada
en septembre 2014.

ISBN : 978-2-35204-385-0
Dépôt légal : septembre 2014